LE PETIT ROBERT

AU CŒUR DES
langues d'Europe

préface

Les dictionnaires du français donnent la vision d'une langue qui vit en vase clos. Une langue centrée sur elle-même, puisque ses mots ne décrivent qu'une seule langue sur une période restreinte. Une langue morcelée, puisque les mots sont pris au piège de l'ordre alphabétique qui les isole et détruit les relations existant avec les autres membres de la même famille ou avec des mots de sens approchant.

Un dictionnaire comme le *Petit Robert de la langue française* s'efforce de réassocier les mots, de les désenclaver, en adoptant, par exemple, le réseau analogique (renvois synonymiques comme à l'article *lourd*, ou reconstitution d'un champ sémantique comme à l'article *cheval*). De plus, ses auteurs élargissent la perspective dans le temps et dans l'espace, ouvrent une lucarne vers l'extérieur, en intégrant l'étymologie des mots traités ; celle-ci contient parfois des renvois à d'autres langues comme à l'article *bleu*, mot issu du francique dont le correspondant allemand est *blau*, ou à l'article *lapereau*, d'origine ibéro-romane et qui signale le correspondant portugais *laparo*.

Cette année, les encadrés étymologiques du *Petit Robert* prolongent cette perspective. Ils mettent en scène la dynamique interne de la langue (la reconstitution de la famille étymologique reflète la créativité lexicale et sémantique du français). Ils montrent aussi sa dynamique par rapport aux langues apparentées (les langues romanes comme l'italien, l'espagnol, le roumain, etc.) ou aux langues d'autres familles avec lesquelles le français a été ou est en contact comme l'allemand, l'anglais ou le russe.
Mais, au fait, quelles sont ces langues ? À quelle famille appartiennent-elles ? Dans quelles

circonstances le français est-il entré en contact avec elles ? À quelle époque et dans quel domaine du lexique leur influence et leur apport se sont-ils fait sentir ? Les emprunts ont-ils été unilatéraux ou y a-t-il eu des échanges entre les langues ? Ce livret a pour ambition de répondre à ces questions.

En effet, un *Glossaire des langues* s'imposait ; il fallait retracer l'histoire de chaque langue –à la fois dans ses rapports de filiation linguistique (même famille de langues ou non) et dans ses relations culturelles, politiques ou économiques– avec l'histoire de la France et celle du français.

Nous n'avons retenu que les principales langues mentionnées dans les encadrés étymologiques de l'édition 2002 du *Petit Robert*, nous limitant à citer brièvement les autres groupes de langues (altaïques, africaines, etc.) ; l'intégralité du *Glossaire des langues* est présentée dans la deuxième édition du CD-ROM du *Petit Robert de la langue française* pour laquelle il a été conçu. Les rubriques de ce glossaire révèlent le jeu d'échanges entre les langues (car le français, comme les autres langues, ne se contente pas d'emprunter, il prête aussi ; voir les rubriques « allemand » ou « anglais ») et les mouvements du lexique (certains

mots grecs, par exemple, ont été transmis par le provençal ; voir la rubrique « grec »).

Le français n'est plus considéré ainsi comme un bloc homogène fonctionnant isolément, ce qui provoquerait à long terme sa mort. Il retrouve sa place d'auteur et d'acteur parmi les langues de sa famille romane d'abord, européenne ensuite, indo-européenne enfin, famille avec laquelle il confirme sa communauté et affirme sa particularité.

Marie-José Brochard

3

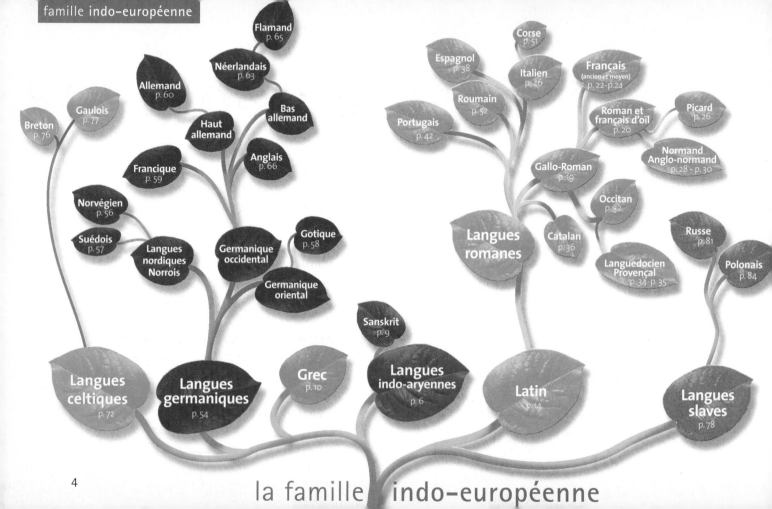

Flamand p. 65

Néerlandais p. 63

Allemand p. 60

Bas allemand

Haut allemand

Anglais p. 66

Gaulois p. 77

Breton p. 76

Francique p. 59

Norvégien p. 56

Suédois p. 57

Gotique p. 58

Langues nordiques Norrois

Germanique occidental

Germanique oriental

Corse p. 51

Espagnol p. 38

Italien p. 46

Français (ancien et moyen) p. 22-p. 24

Roumain p. 52

Portugais p. 42

Roman et français d'oïl p. 20

Picard p. 26

Gallo-Roman p. 19

Normand Anglo-normand p. 28 - p. 30

Occitan p. 32

Langues romanes

Catalan p. 36

Russe p. 81

Languedocien Provençal p. 34-p. 35

Polonais p. 84

Sanskrit p. 9

Langues celtiques p. 72

Langues germaniques p. 54

Grec p. 10

Langues indo-aryennes p. 6

Latin p. 14

Langues slaves p. 78

la famille indo-européenne

Famille indo-européenne

La famille indo-européenne regroupe environ mille langues dont l'ancêtre commun est l'indo-européen. Cette proto*-langue n'est pas attestée, mais son existence remonterait à 2000 avant Jésus-Christ. Parlées dans la majeure partie de l'Europe et de l'Asie par près de trois milliards d'individus, ces langues placent la famille indo-européenne au premier rang mondial par le nombre de locuteurs.

À côté des **langues indo-aryennes**, du grec, du latin, des **langues germaniques**, des langues celtiques et des langues slaves, la famille indo-européenne comprend six autres groupes.

- **Le groupe anatolien**, dont le hittite, langue disparue depuis le XIIIe siècle avant J.-C.
- **Le groupe indo-iranien**, comprenant deux branches principales :
– la branche indo-aryenne (sanskrit) ;
– la branche iranienne (avestique et ancien perse).
- **Le groupe arménien**, qui présente à des dates anciennes des similitudes avec le grec.
- **Le groupe tokharien**, groupe de langues disparues depuis le XIe siècle.
- **Le groupe baltique**, divisé en deux branches :
– le vieux prussien, disparu depuis la germanisation de la Prusse à la fin du XVIIe siècle ;
– le lituanien et le letton.
- **Le groupe albanais**, parlé en Albanie et dans quelques communautés, comme au Kosovo.

La famille indo-européenne comprend également des **langues isolées** dont la plupart ont disparu (le thrace, le phrygien, l'illyrien ou encore le ligure).

Langues indo-aryennes

Les langues indo-aryennes forment, avec la branche iranienne, le groupe indo-iranien. Les langues de ce groupe sont parlées dans les États du nord de l'Inde, à côté de langues de la famille dravidienne, au sud, et de langues du groupe tibéto-birman (langues tonales d'Asie), à l'ouest.

La branche *indo-aryenne* ou *indienne* regroupe environ 500 langues parlées par plus de 600 millions de locuteurs, soit près de 75 % de la population de l'Inde. Parmi ces langues, on peut citer :

- l'*hindi* (ou *hindoustani*) : langue officielle de l'Union indienne – à côté de l'anglais – ; 180 millions de locuteurs ;
- le *bengali* : parlé dans l'État du Bengale-Occidental et au Bangladesh, 67 millions de locuteurs ;
- le *marathi* ou *marathe* : langue nationale du Maharashtra, parlée dans la région de Bombay, 65 millions de locuteurs ;
- l'*ourdou* : parlé en Inde et surtout au Pakistan (7,5 % de la population), 45 millions de locuteurs ;
- le *pendjabi* : langue nationale du Pendjab, 30 millions de locuteurs ;

باز گورنمنٹ ٹرانسپورٹ کارپوریشن گلگت

• l'*assamais* : langue nationale de l'Assam, 15 millions de locuteurs ;

• le *cinghalais* : langue officielle du Sri Lanka (à côté du tamoul), 13 millions de locuteurs ;

• le *tsigane* ou *romani*.

On peut ajouter le *népali*, langue nationale du Népal et langue maternelle de près de 10 millions de Népalais (60 % de la population) ; il est aussi parlé en Inde et au Bhoutan, dans les régions himalayennes. On trouve d'importantes communautés de langue

indienne dans les îles de l'océan Indien (Seychelles, Maurice, Réunion), langue qui a influencé le français et les créoles* locaux.

La branche indo-aryenne ou indienne du groupe indo-iranien est celle qui est la plus anciennement attestée. Les premiers témoignages d'une langue littéraire indienne, basée sur le dialecte* du Pendjab, remontent à environ 1500 avant J.-C. Ce sont des textes sacrés, fondateurs de l'hindouisme, les *Vedas*[1] (d'où le nom de « védique » pour qualifier cet état de langue ancien). Ces *Vedas* ont donné lieu à toute une littérature qui a été poursuivie jusqu'au VIᵉ siècle avant J.-C. Au Vᵉ siècle, à la fin de la période védique, émerge le sanskrit, forme codifiée de l'ancien indo-aryen.

(1) Ensemble de textes religieux et poétiques qui forment les premiers documents littéraires de l'Inde, écrits en sanskrit archaïque.

7

des textes littéraires. La plus ancienne forme littéraire d'un prâkrit est le pali.

C'est à la fin du premier millénaire que le paysage linguistique actuel de l'Inde se forme.

Les langues indiennes modernes (mis à part l'hindi) ont fourni au français un petit stock de mots renvoyant à des réalités locales. Ces mots ont transité soit par le portugais (les Portugais occupent Goa, Cochin et le Sri Lanka au XVIᵉ siècle) comme *cornac*, soit par l'anglais (les Britanniques sont présents en Inde dès le XVIᵉ siècle) comme *atoll* ou *jute*, *pyjama* ou *shampoing*. Quelques-uns semblent avoir été empruntés directement par le français comme *panda* ou *sherpa*.

Parallèlement à ces langues littéraires, les langues orales, appelées *prâkrits*[2], se développent. Elles sont connues indirectement par les textes contenant les nouvelles doctrines religieuses issues du védisme : le bouddhisme et le jaïnisme (VIᵉ siècle avant J.-C.). Par la suite, les prâkrits seront fixés dans

(2) Ensemble de langues et dialectes de l'Inde ancienne issus du sanskrit ou développés parallèlement à lui.

भारत INDIA
सत्यमेव जयते

Sanskrit

Le sanskrit, langue littéraire religieuse de l'Inde, a une place particulière dans l'histoire de la linguistique*. Son importance dans la reconstruction de l'arbre généalogique des langues indo-européennes fut mise en évidence par les Européens, en particulier les Anglais, dès la fin du XVIIIᵉ siècle.

Le sanskrit a l'avantage d'avoir été très bien décrit, à date ancienne, par les grammairiens indiens. Son étude permet d'établir une relation de filiation avec des langues occidentales comme le grec, le gotique, le latin et le celtique. Elle est le point de départ de la grammaire comparée, fondée par l'Allemand Franz Bopp en 1816, qui fut appliquée aux langues romanes par l'Allemand Diez. Aujourd'hui langue savante des castes cultivées, elle est maintenue artificiellement jusqu'à nos jours. Le sanskrit est de fait une langue disparue depuis le début de notre ère. C'est la forme littéraire et religieuse de l'ancien indo-aryen, décrite et codifiée depuis le Vᵉ siècle avant J.-C. par le grammairien indien Panini. L'écriture du sanskrit est le *devanagari*.

L'hindi, langue officielle de l'Inde, a un vocabulaire hérité du sanskrit, auquel il emprunte encore aujourd'hui.

Outre les mots sanskrits transmis par l'hindi, le français a emprunté essentiellement des mots concernant la religion hindouiste ou brahmanique :
bouddha, *brahmane*, *gourou*, *karma*, *mandala*, *mantra*, *nirvana*, *soutra*, *veda*, *yogi*, de même que *non-violence*, emprunté à l'anglais, mais venant du sanskrit.

Le *svastika* – le mot signifie en sanskrit « de bon augure » –, ou croix gammée, sera l'emblème du nazisme.

ल्लक्ष्मी अगरबत्ती वर्क्स, ३ मेयिन रोड, चामराजपेट, येंगलोर

Langue grecque

Langue isolée de la famille indo-européenne, le grec moderne continue le grec ancien. Il est parlé par presque 10 millions de personnes en Grèce (environ 99 % de la population). On parle également grec à Chypre (environ 600 000 locuteurs, soit 78 % de la population), à côté du turc. Le grec est aussi une langue minoritaire en Égypte (60 000 locuteurs), la langue de quelques communautés en Italie du Sud (Calabre, Otrante), où la Grèce avait des colonies, ainsi qu'à Cargèse, en Corse.

La présence des Hellènes, nom que se donnaient les Grecs, est attestée depuis le IIe millénaire avant notre ère dans la péninsule et les îles ; les premiers témoignages écrits, en mycénien, remontent également à cette époque.

La langue des Hellènes, proche de l'indo-iranien (=> indo-aryen) — on suppose qu'ils ont migré par vagues successives de l'intérieur du continent asiatique —, présente des variantes déjà différenciées. Elle se modifie au contact des langues de substrat*, très composites, dont on sait fort peu de choses excepté qu'il ne s'agissait pas de langues indo-européennes. En outre, le relief accidenté du pays favorise le morcellement linguistique. Ceci explique la présence de nombreux dialectes* anciens. Connus par de nombreux documents, ces dialectes sont répartis en plusieurs groupes, dont le groupe *ionien-attique*, le plus important par son extension géographique (Marseille et Agde sont des colonies

ioniennes) et son prestige littéraire. Les philosophes Parménide et Héraclite illustrent l'ionien, de même qu'Hérodote et Hippocrate. Le plus ancien monument littéraire grec, les *Poèmes homériques*, œuvre à la langue composite, présente de nombreux éléments ioniens.

L'*attique*, quant à lui, est la langue parlée autour d'Athènes, archaïque et conservatrice, dans laquelle des écrivains comme Eschyle, Sophocle ou Euripide composent leurs œuvres aux Vᵉ et IVᵉ siècles avant J.-C.

On distingue différentes étapes dans l'histoire du grec ancien.

- **La période du grec ancien** proprement dit recouvre le grec archaïque et classique. Elle s'étend du VIIIᵉ siècle avant J.-C. (à peu près à partir d'Homère) jusqu'au IVᵉ siècle avant J.-C., alors qu'Alexandre le Grand détruit Thèbes et soumet Athènes, conquiert l'Égypte, se rend maître de la Perse et devient roi d'Asie.
- **La période du grec classique** culmine aux Vᵉ et

IVᵉ siècles avant notre ère. C'est celle de l'apogée d'Athènes, du rayonnement de la culture et de la civilisation grecques qui seront le fondement de la culture et de la civilisation occidentales. Ce sont les siècles d'Hérodote, d'Hippocrate, de Platon, de Socrate et d'Aristote. Ces siècles voient naître la tragédie, la comédie, l'art oratoire et la rhétorique (Sophocle, Eschyle, Démosthène) ; Phidias construit l'Acropole et Praxitèle sculpte *Aphrodite*.

- **La période hellénistique**, qui va du IVᵉ siècle avant J.-C. au Iᵉʳ siècle après J.-C., est celle de la naissance de la koinè*. Avec l'extension de l'empire d'Alexandre, le grec, jusque-là langue de culture, devient la langue des échanges entre les divers peuples de l'empire. Le grec qui émerge à cette époque, et qui sera employé jusqu'à la conquête romaine (30 av. J.-C.), est un « grec commun » (basé sur la variante attique) qui se modifie fortement et supplante les dialectes.

Cette koinè est également, à partir de cette époque,

la langue du christianisme. La première traduction de la Bible (la version des Septante), dont le texte sera adopté par les chrétiens, voit le jour. Les Évangiles et le Nouveau Testament sont rédigés en grec commun. Le vocabulaire du grec ecclésiastique est marqué par l'apparition de mots créés pour les nouveaux concepts que véhicule la religion chrétienne.

- **La période du grec tardif** (du Ier siècle après J.-C. à 330) voit le retour au classicisme et à l'atticisme linguistiques, en réponse à la menace que représente la langue de l'Empire romain, le latin. Cette restauration d'un état de langue antérieur ne se fait évidemment qu'à l'écrit, la langue orale continuant d'évoluer.

- **La période du grec byzantin**, appelé aussi « grec médiéval » (de 330 à 1453, prise de Constantinople par les Turcs), est celle de la langue diplomatique de l'Empire byzantin. Elle est caractérisée par la rivalité entre la langue vulgaire parlée (la langue courante appelée grec *démotique*) et le grec écrit

néoclassique, langue littéraire des auteurs chrétiens ou profanes. La langue parlée subit de profonds changements phonétiques*, et le lexique* s'enrichit d'apports vénitiens et français à partir de la première croisade (1096 - 1099). Les productions en langue vulgaire se multiplient alors que l'aire du grec se restreint pour se confiner au territoire qu'il occupait avant les conquêtes d'Alexandre.

- La victoire du grec démotique (grec moderne courant), normalisé sur la langue classique, entame **la période du grec moderne** (à partir du XVe siècle). Les siècles de domination de l'Empire ottoman laissent seulement quelques traces dans le lexique du grec.

Les emprunts* du français au grec sont entrés dans le lexique par deux voies distinctes à des époques différentes. Le latin a constamment puisé dans le lexique grec des mots qu'il a transmis au français. C'est surtout pendant la période hellénistique que le latin accueille dans son lexique, par emprunt ou calque*, un

grand nombre de mots savants et abstraits, du domaine de la philosophie et des sciences. Les emprunts sont également très fréquents pendant la période où l'Empire romain domine la Grèce. Le latin transmettra ainsi ces mots au français (et aux autres langues européennes). Le vocabulaire chrétien est introduit en français par la traduction latine de la Bible :

ange, baptême, baptiser, catéchisme, démon, empyrée, énergumène, zizanie.

Le français commence à emprunter directement au grec à partir du XIVᵉ siècle grâce aux traductions en français d'Aristote par Oresme par exemple. L'influence d'Hippocrate et de Galien se fait sentir sur des médecins français auxquels on doit l'introduction de mots comme *lobe* et *embryon*.

Le retour à l'Antiquité que prône la Renaissance sera l'occasion d'emprunts directs au grec par le biais des traductions. Il s'agit avant tout de très nombreux mots savants (du domaine des sciences, de la rhétorique, de la logique et de la grammaire). D'autres

emprunts concernent des réalités grecques ou de l'ancienne Grèce comme *ostracisme* ou *sarcophage*, doublet* savant de *cercueil*.

Les emprunts au grec moderne sont rares (*caloyer*, *micocoulier*). En revanche, comme le latin, le grec est, surtout depuis le XVIIIᵉ siècle (mais déjà au XVIᵉ siècle), un réservoir d'éléments servant à créer des termes scientifiques (environ 70 % des termes de médecine sont des mots empruntés au grec ou composés d'éléments grecs) et dans lequel puise la communauté scientifique internationale.

Une troisième catégorie d'emprunts mérite d'être relevée. Ce sont les emprunts au grec par l'intermédiaire de l'occitan (provençal ou languedocien). En effet, la colonisation de Marseille et d'Agde par les Grecs a laissé des traces dans le gallo-roman de cette région, que la romanisation n'a pas effacées. C'est ainsi que *boutique, cadastre, broc, caliorne, fagot, ganse* et *trèfle*, d'origine grecque, ont été introduits en français par l'intermédiaire de l'occitan.

Latin

Langue morte, le latin fait partie du groupe italique, qui comprend des langues disparues parlées dans l'Italie ancienne, comme l'osque ou l'ombrien.

Le latin a donné naissance aux langues romanes, appelées également *néo-latines*. Elles ont émergé du morcellement de l'Empire romain entamé au IIe siècle après J.-C. Cet ensemble, que l'on appelle également la **Romania**, comprend, d'une part, la **Romania occidentale**, qui englobe le *gallo-roman* (dont le français), l'*ibéro-roman* (espagnol et portugais), l'*occitano-roman* (occitan et catalan), le *rhéto-roman*, et les parlers du nord de l'Italie (=> italien), et, d'autre part, la **Romania orientale**, qui comprend l'*italo-roman* (parlers de l'Italie du Sud et sarde) et le roumain.

La structure de ces langues romanes repose sur celle du latin, et la majeure partie de leur lexique* en est héritée ou lui est empruntée.

Avant d'investir complètement la péninsule italienne, les Latins doivent conquérir les territoires occupés par les Grecs (au sud de l'Italie) et les Étrusques (Rome et sa région). Cette conquête s'étend sur quelques siècles, si bien que la langue latine sera, avant de se fixer définitivement, fortement influencée par le grec, par les dialectes* italiques, et, en moindre part, par l'étrusque.
Les premiers témoignages écrits datent du Ve siècle avant J.-C., et les premiers textes littéraires, du IIIe siècle avant notre ère.

> En ce qui concerne le **latin écrit**, qui changera très peu au cours des siècles, on distingue plusieurs époques.

- Le **latin archaïque** couvre la période allant jusqu'au Iᵉʳ siècle avant J.-C. Il est représenté par des écrivains comme Plaute et Térence. C'est à partir de cette époque que le latin empruntera de nombreux mots à la koinè* grecque, qu'il transmettra plus tard au français.
- Le **latin classique**, celui de Cicéron érigé en modèle du classicisme par Quintilien, dure de la fin du Iᵉʳ siècle avant J.-C. à l'an 14 de notre ère (mort de l'empereur Auguste).
- Le **latin impérial**, ou post classique, couvre les Iᵉʳ et IIᵉ siècles après J.-C. C'est l'époque de la conquête de la Gaule, et le latin s'imposera sans grande difficulté dans l'Empire romain d'Occident, moins hellénisé que la partie orientale.

Langue de prestige, de culture et de communication, le latin est également à cette époque la langue de la christianisation et du christianisme (l'Église sera, après la médecine, le dernier fief du latin). C'est aussi celle des premières traductions latines de la Bible. D'abord, l'*Itala*, au Iᵉʳ siècle, est basée sur la version grecque dite *des Septante*. Puis la *Vulgate*, version établie plus tard par saint Jérôme (IVᵉ siècle), retourne aux sources hébraïques de la Bible.

Le *latin chrétien* ne constitue pas en soi une période de la langue latine mais un domaine d'emploi réservé à une communauté qui deviendra de plus en plus grande et sera un vecteur du latin. Les premiers textes chrétiens (IIᵉ siècle) révèlent une langue simple, très proche de la langue parlée. Le lexique du latin chrétien se distingue par des emprunts à l'hébreu ou au grec, ou par l'emploi de termes archaïques pourvus d'une nouvelle signification pour désigner des concepts nouveaux.

- Enfin, le **latin tardif** ou bas latin, s'étend du IIIᵉ au Vᵉ siècle.

15

> C'est au moment de l'expansion de l'Empire romain que le latin commence à se diversifier et qu'apparaît le **latin vulgaire** ou **populaire.** C'est le latin de la plèbe, du peuple, le latin parlé, le latin vernaculaire*.

Certes, la distinction entre latin écrit et latin parlé existe déjà au temps du latin classique. Cicéron, dans la langue écrite et parlée de tous les jours, le *sermo cottidianus*, s'exprime différemment que devant le Sénat. En outre, le latin possède des dialectes*, des usages sociaux et régionaux. Ainsi, le latin des colons de l'Empire est déjà différencié

lorsqu'il s'implante en Ibérie, en Gaule, en Germanie, en Britannie ou en Dacie. Il entre alors en contact avec les idiomes* locaux et ces idiomes le modifient considérablement. Toutefois, l'intercompréhension entre, par exemple, le latin populaire des Ibéro-Romans et celui des Gallo-Romans dure probablement tant que dure l'unité de l'Empire. Après la chute de celui-ci, en revanche, on peut penser qu'un Gallo-Roman ne comprend plus un Ibéro-Roman. Par ailleurs, le concile de Tours (812), en demandant aux évêques de la Gaule de prêcher en langue vulgaire, c'est-à-dire en roman (ou en germanique), reconnaît de ce fait que le latin classique n'est plus compris de la population.

> À partir du Vᵉ siècle, le latin entre dans la période du **latin médiéval,** qui s'achève avec la Renaissance. Au cours de ces siècles, le latin prend des colorations dialectales* ou régionales, et l'on peut ainsi parler des latins d'Allemagne, d'Espagne, de

Suisse ou d'Italie. En Gaule, le VIᵉ siècle est le siècle des derniers grands écrivains comme Grégoire de Tours.

À l'époque mérovingienne, le latin écrit se transforme très fortement ; les seuls lieux où il est à peu près maintenu sont les chancelleries et l'Église. Il faut attendre la réforme carolingienne, à la fin du VIIIᵉ siècle, pour que le latin soit restauré et à nouveau enseigné. Il reconquiert alors sa place de langue savante internationale, mais ne correspond à aucun usage spontané.

Parallèlement à ce retour au latin classique, au moins dans sa forme, le latin devient la langue des sciences, en particulier celle des sciences occultes, alchimie et cabale, qui nécessitent, par leur objet, la création de mots et de sens nouveaux. On parle alors de *latin cabalistique* ou *alchimique*.

Le XIIIᵉ siècle voit l'essor du *latin scolastique*, les savants se détournant de la rhétorique pour se livrer

à la dialectique et aux études théoriques. Le latin s'enrichit alors de nombreux mots abstraits, d'emprunts* au grec ou à l'arabe. Le latin est enseigné dans les premières universités françaises mais il est aussi langue de l'enseignement : c'est le *latin didactique**.

La Renaissance voit la fin de la lutte menée contre le latin scolastique, jugé trop pauvre et trop éloigné des auteurs anciens. Les auteurs de la Renaissance se tournent à nouveau vers l'étude de l'Antiquité, vers un style et un vocabulaire beaucoup plus riches. De ce fait, le latin n'évolue plus et devient langue morte. En même temps, les productions littéraires et scientifiques en langue vulgaire, en français en l'occurrence, se développent.

En 1539, François Ier interdit l'usage du latin dans les ordonnances et les jugements des tribunaux par l'*ordonnance de Villers-Cotterêts*. Le français recourt au fonds du latin juridique pour se constituer en propre un vocabulaire qu'il ne possède pas. C'est à cette époque qu'entrent en français de nombreux latinismes du domaine juridique.

> Le prestige du latin ne s'arrête pas pour autant : c'est l'ère du **latin moderne et savant**. Il est, au moins jusqu'au XVIIIe siècle, la langue d'échange entre savants : Newton, Descartes, Leibniz correspondent en latin.

Le *latin ecclésiastique*, langue de l'administration de l'Église, est utilisé jusqu'au milieu du XXe siècle. Le *latin religieux*, langue de la liturgie catholique, n'est aboli qu'en 1963 par le concile de Vatican II. Langue de l'Université, le latin disparaît de la faculté

des lettres en 1908 et, dans les années 1930, de la faculté de médecine.

Aujourd'hui, le latin est toujours, dans une certaine mesure, la langue des savants et des scientifiques. En effet, les créations lexicales latines ou pseudo-latines (mots pourvus d'une terminaison latine sur un radical qui n'existe pas en latin ou expression inexistante en latin) sont utilisées dans les sciences, en particulier dans les taxinomies botanique, anatomique, médicale, zoologique ou chimique. Ce latin scientifique est particulièrement utilisé au XVIIIe siècle lors de la création des grandes nomenclatures comme celles de Linné, de Jussieu ou plus tard de Lamarck.

Langue des origines de notre culture et de notre civilisation, le latin est toujours présent à notre esprit : le *latin de cuisine* ou *latin macaronique** correspond en quelque sorte à un usage encore spontané du latin.

Gallo-roman

Langue vulgaire issue du latin populaire, le gallo-roman est parlé sur le territoire de la Gaule romaine (*Gallo Romania*) du Vᵉ siècle (chute de l'Empire romain) au VIIIᵉ siècle (réforme carolingienne de 786-796).

Les parlers gallo-romans émergent au Vᵉ siècle, en même temps que la fragmentation linguistique entre la *Romania* occidentale et la *Romania* orientale. Cette différenciation dans les parlers est due à l'influence conjuguée des invasions germaniques (les Francs, en particulier) et du morcellement de l'Empire romain entamé au IIᵉ siècle. Les Francs, particulièrement bien implantés au nord de la Loire, accusent le clivage entre les parlers gallo-romans d'oïl et ceux d'oc.

Pour certains linguistes, le latin populaire parlé en Gaule était déjà du gallo-roman. Cela implique que la période du gallo-roman ne s'étendrait que jusqu'à la fin du Vᵉ siècle ; elle serait suivie par la période du proto*-français ou roman (fin Vᵉ-fin IXᵉ siècle).

Les parlers gallo-romans sont répartis en trois grands groupes de dialectes* :
le franco-provençal, l'occitan et le français d'oïl.

19

Roman et français d'oïl

Le français d'oïl désigne le français de langue d'oïl, dans ses variantes régionales ou dialectales*, parlé au nord de la Loire. La région franco-provençale, de même que les régions où l'on parle une langue non romane, à savoir le breton, le flamand et l'alsacien, en sont donc exclues.

Le roman est le stade du français d'oïl qui succède au gallo-roman et précède l'ancien français.

En 800, les contemporains font la différence, dans le nord de la France, entre le latin et la langue vulgaire qui y est parlée, le roman. Ce terme désigne la langue aux multiples variétés qui a donné naissance aux différentes langues romanes. Il est employé dans un sens particulier pour désigner le stade intermédiaire (IXe-XIe siècle) entre le gallo-roman et l'ancien français ; il est alors synonyme de proto*- français.

Pour certains linguistes, le proto-français recouvre la période allant du Ve siècle (chute de l'Empire romain) à la fin du IXe siècle (*Cantilène de sainte Eulalie*, premier texte en ancien français).

Ainsi, les *Gloses de Reichenau*, rédigées en Picardie (vers 780), sont considérées comme du roman intéressant l'ensemble des langues romanes, plus particulièrement celles de la *Romania* occidentale. Il s'agit d'un recueil de 1 200 gloses bibliques consistant en mots romans habillés de terminaisons latines. Les *Serments de Strasbourg* (842), en revanche, texte juridique rédigé en roman, sont considérés comme du proto-français, ancêtre de l'ancien français. De la chute de l'Empire romain à l'avènement des Capétiens, le morcellement de la Gaule romaine, la *Gallo-Romania*, s'accentue : il n'y a plus aucun pouvoir central. Il résulte de cet état de fait un isolement et une évolution endogène des différents parlers.

Dès le XIe siècle cependant, la région d'Île-de-France devient un pôle spirituel et intellectuel, avant de

devenir au XIIIe siècle le centre géographique et politique du royaume de France. Les régions du Centre les plus proches de Paris comme l'Orléanais et la Touraine, qui ne donnent lieu qu'à une très faible activité littéraire, intègrent plus vite le parler de l'Île-de-France.

Au cours des siècles, le français d'Île-de-France gagne de plus en plus de terrain. Il s'étend vers la Champagne et le Berry, ainsi qu'à l'ouest. Le degré de « francisation » des régions du nord de la France est évidemment fonction de leur rattachement ancien ou plus récent à la couronne de France, comme c'est le cas pour la Normandie, la Bourgogne, la Franche-Comté ou la Lorraine, de même que de leur prestige économique ou intellectuel.

L'ordonnance de Villers-Cotterêts, édictée par François Ier en 1539, impose le français comme langue de l'Administration et de la justice, en lieu et place du latin. Cet acte signe le début du déclin des dialectes* tant d'oïl que d'oc. La Révolution entérine cette situation. La langue, instrument politique, doit être une comme la nation.

Les dialectes sont combattus par l'école et par l'armée. Au début du XXe siècle encore, il est interdit de parler « patois* » à l'école. C'est à cette époque que le linguiste et dialectologue Jules Gilliéron entreprend de cartographier ce qu'il reste alors des dialectes gallo-romans.

Parmi les parlers d'oïl, on distingue :
- les parlers du Sud-Est du domaine : ce sont le francomtois, le bourguignon, le bourbonnais ;
- les parlers du Nord : le lorrain, le wallon, le picard et le normand (avec l'anglo-normand) ;
- les parlers du Nord-Ouest : l'angevin, le manceau, le tourangeau, le gallo ;
- les parlers du Sud-Ouest : le saintongeais et le poitevin ;
- les parlers du Centre : parlers de l'Île-de-France et de l'Orléanais (berrichon et champenois).

Les parlers gallo-romans d'oïl ont presque tous disparu malgré les efforts de nombreuses associations qui luttent pour leur maintien.

21

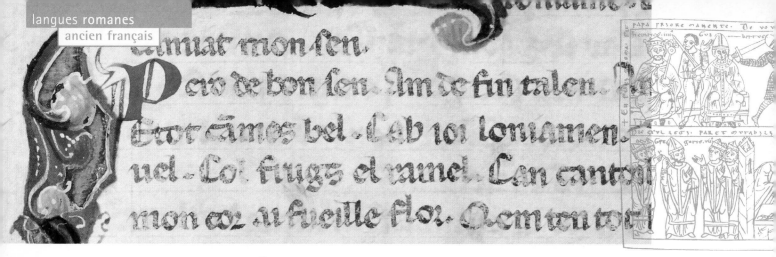

Ancien français

Stade intermédiaire entre le roman et le moyen français, l'ancien français couvre la période de l'histoire de la langue française entre le Xe siècle (avènement de Hugues Capet, premier roi à ne pas parler le germanique et résidant à Paris) et le milieu du XIVe siècle.

Cette période est marquée par de profonds bouleversements phonétiques* et dès le XIe siècle par de nombreux emprunts* au latin.

Au début de cette période, l'ancien français est marqué par les particularités dialectales* du français d'oïl. Il évolue, dès la fin du XIIe siècle, vers un ancien français de moins en moins marqué et se rapproche du français d'Île-de-France, dont le prestige va grandissant. Bien sûr, même les plus

grands auteurs d'œuvres littéraires laissent échapper au fil de la plume quelques dialectalismes, mais ils en sont parfaitement conscients. Vers 1400, Froissart est le dernier auteur dont le texte est franchement marqué de dialectalismes.

L'ancien français non littéraire, par exemple celui des chartes, que l'on commence à rédiger en langue vulgaire au début du XIIIe siècle, conserve bien plus longtemps ses particularismes, puisque, par leur contenu, ces chartes s'adressent à un public assez restreint, limité à une abbaye, un village ou une région.

Il faut ajouter à l'ancien français l'anglo-normand, qui est une variété de français à base normande qui évoluera sur le sol anglais. L'anglo-normand parlé disparaît au XIIIe siècle alors que le français devient langue de prestige.

Les œuvres littéraires qui jalonnent cette période reflètent l'intense vie culturelle qui animait la France. Tous les genres y sont représentés : la chanson épique avec notamment la *Chanson de Roland* (composée vers la fin du XIe siècle) ; les récits hagiographiques ; la poésie avec les chansons des trouvères et les *Lais* bretons ; la chantefable ou encore le fabliau et le jeu (en histoire littéraire, pièce en vers, dramatique ou comique).
Le roman, au sens particulier que recouvre ce terme en histoire littéraire, est représenté par un des plus grands auteurs du Moyen Âge, le Champenois Chrétien de Troyes, qui composa entre autres *Lancelot* ou *La Quête du Graal*.

Moyen français

À l'ancien français succède le moyen français. Ce stade de la langue française couvre la période comprise entre 1350 et 1600. Mais il s'agit plus, en réalité, d'une période de l'histoire allant jusqu'au XVIe siècle que de la langue elle-même. En effet, la langue ne connaît pas durant cette période de changements aussi profonds que ceux qu'elle a connus en ancien français.

Le recul du latin et des dialectes*, et la consécration du parler normalisé de Paris, le français, correspondent à la perte définitive de la féodalité et à l'instauration par Louis XI du pouvoir royal et de l'unité politique.

Le rayonnement du français s'accroît avec la toute nouvelle invention de l'imprimerie, qui permet la diffusion des textes écrits. La répercussion de cette découverte se fait sentir surtout au XVIe siècle : les imprimeurs essayent de mettre au point un système graphique normalisé, ce qui engendre des querelles autour de l'orthographe et des « réformes », bien plus audacieuses que celles que l'on connaît aujourd'hui.

Les imprimeurs se font aussi lexicographes, et l'on voit apparaître les premiers dictionnaires du français, comme le *Dictionnaire françois-latin* de Robert Estienne (1539). Une véritable réflexion sur la langue s'engage alors, qui se traduit par les premières grammaires comme le *Tretté de la grammere françoeze* de Meigret en 1550.

Le recul du latin suscite, au début de cette période, le besoin de traductions du latin en français. Pour traduire des textes juridiques, médicaux, religieux et, plus tard, au XVIe siècle, pour pouvoir les rédiger directement en français, il faut créer un vocabu-

laire approprié. On innove, certes, mais on recourt volontiers aux emprunts* au latin.

La *Chirurgie* d'Henri de Mondeville (1314) marque le début de la francisation du vocabulaire médical, qui se continuera avec les *Œuvres complètes* d'Ambroise Paré (1574 ; il publie en français dès 1545). Dans le domaine religieux et philosophique, Nicole Oresme traduit Aristote, *Le Livre de Éthiques* (1370), *Les Politiques et Yconomiques* (achevé en 1374), ainsi que *Le Livre du Ciel et du Monde* (1377). Le domaine des sciences naturelles est marqué notamment au XVIᵉ siècle par Pierre Belon avec l'*Histoire naturelle des estranges poissons marins* (1551) et par L. Fousch avec les

Commentaires tres excellens de l'hystoire des plantes (1549).

Le vocabulaire est également marqué par la découverte du Nouveau Monde : la plupart de ce que l'on appelle les *termes de voyage* ont été introduits en français dès la fin du XVᵉ siècle, par des traductions de l'espagnol et du portugais, en particulier.

Le XVIᵉ siècle connaît également une vague d'emprunts à l'italien, avec l'accession au trône de Catherine de Médicis. Cette mode italienne sera décriée par Henri Estienne dans *Deux Dialogues du nouveau langage françois italianizé et autrement desguizé, principalement entre les courtisans de ce temps*, publié en 1578.

C'est donc peut-être cette créativité lexicale dans des domaines spéciaux, mais aussi dans la littérature — dont Rabelais, médecin et écrivain, est le plus bel exemple — , qui est caractéristique de cette période.

Picard

Le picard rassemble les parlers gallo-romans de Picardie appartenant au groupe du français d'oïl.

L'aire sur laquelle ces parlers s'étendent ne coïncide que partiellement avec celle des actuelles régions de Picardie et du Nord-Pas-de-Calais. Ils couvrent le département du Nord (excepté la zone de langue flamande) où ils comptent le *rouchi* et le *lillois* ; le département du Pas-de-Calais (où ils sont appelés le *chtimi*), celui de la Somme (avec un débordement sur le département de la Seine-Maritime) et enfin celui de l'Aisne. Les parlers picards de la Flandre française se prolongent un peu en Belgique.

Ces parlers partagent certains traits linguistiques avec les parlers normands, ils forment l'ensemble *normanno-picard*.

Le picard est au Moyen Âge un sérieux concurrent du français d'Île-de-France. La Picardie et la Flandre sont des centres littéraires importants. Un des plus anciens textes français, la *Cantilène* ou *Séquence de sainte Eulalie*, est rédigé à la fin du IXe siècle près de Valenciennes. Tous les genres littéraires sont représentés par des écrivains comme Jean Bodel, auteur d'un *Congé* (1202), ou plus tard Jean Froissart, auteur de *Chroniques* (fin XIVe). Les trouvères, tels qu'Adam de la Halle, également musicien, se font l'écho des troubadours comme nulle part en France.

Malgré cela, le picard est évincé : sa situation géographique en fait une région excentrée par rapport au centre de la France et son dialecte* présente trop de particularités par rapport aux dialectes d'Île-de-France. En effet, le picard garde, au contraire du français, [k, g] devant [a] : au français *chose*, *chasser*, *jambe*, correspond le picard *cose*, *cacher*, *gambe*. De plus, le picard palatalise* [k] devant

2ᵉ PL. VUE DES HOUILLERES BEAUJON.
Explication des différents sites, Machines, Instr…

[e, i] (au français *celle* correspond le picard *chelle*).
Il partage ces traits avec le normand.

Le picard a subi, comme le normand, le lorrain et le
wallon, des influences germaniques prononcées. Il
conserve par exemple le *w* germanique : au français
garder correspond le picard *warder* ; les suffixes *-enc*
et *-quin* d'origine germanique sont fréquents.

*Boulanger, cauchemar, clenche, colimaçon, étiquette,
halte, marcassin.*
Rescapé vient de *rescaper,* forme picarde du verbe
réchapper, « échapper à un danger ». Le mot s'est
répandu à partir de 1906, les journalistes l'ayant
entendu sur les lieux de la catastrophe minière de
Courrières (Pas-de-Calais).

Normand

Le normand rassemble les parlers gallo-romans de Normandie appartenant au groupe du français d'oïl. Comme le picard et le wallon, ce sont des parlers nettement influencés par le superstrat* germanique. Comme tous les parlers d'oïl, les dialectes* normands sont en voie d'extinction.

Dès le IXe siècle, les côtes normandes sont envahies par les Vikings. Peuple germanique du Nord, ces Vikings, les Normanni qui donnèrent leur nom à la région de Normandie, sont des conquérants des mers particulièrement belliqueux. Pour les assagir, le roi Charles le Simple leur donne les régions du littoral de la Manche. Ils se romanisent rapidement, et leurs descendants, les Normands, exportent la langue normande en Angleterre au XIe siècle, langue qui devient l'anglo-normand.

On distingue les **parlers hauts normands** (Eure, Seine-Maritime) des **parlers bas normands** (Manche, Orne, Calvados). Cette distinction géographique reflète une réalité historique : la Haute-Normandie subit l'influence des Vikings, tandis que la Basse-Normandie est plus « gallo-romanisée ».
La littérature en normand est très abondante au Moyen Âge.

Au XVIe siècle, le *Journal* laissé par le « sieur » de Gouberville fournit de nombreuses attestations* de mots normands, dont certains sont passés en français, comme *folle*, « filet de pêche », par exemple. Plus près de nous, la Normandie et sa langue sont illustrées par des écrivains comme Flaubert, Maupassant ou Barbey d'Aurevilly.

Linguistiquement, les parlers normands sont séparés par « la ligne Joret » (du nom du linguiste Charles Joret qui l'a décrite), qui va d'Avranches (Manche) à Vernon (Eure) : au nord de cette ligne, le [k] devant [a] se maintient —, au sud, il se palatalise* ; au français *chaud* correspondent *cauo* en Seine-Maritime et *châ* dans la région de Caen. Le parler des îles anglo-normandes de Jersey, Guernesey et Sercq fait partie des dialectes au nord de cette ligne.
Comme le picard, le normand a, au nord de la ligne Joret, *cose*, *gardin*, *rachine*, *teile*, *sié*, là où le français a *chose*, *jardin*, *racine*, *toile* et *six*.

Bien que les Vikings aient assez rapidement oublié leur langue, le norrois, celle-ci n'en laisse pas moins des traces en français, ne serait-ce que dans la toponymie* normande. C'est en effet par les Normands qu'un grand nombre de mots d'origine norroise passent très tôt en français. Ce sont essentiellement des mots du domaine maritime, quelques-uns du domaine de la guerre et de la vie juridique comme :
crique, *hune*, *turbot*, *homard*, ou encore le verbe *navrer*, qui signifia d'abord « blesser », et le verbe *nantir*.

Plus récemment, les emprunts* au normand sont eux aussi du domaine maritime comme :
crevette, *pieuvre* (mot introduit par Hugo, exilé dans les îles anglo-normandes de Jersey puis Guernesey), *macreuse* ou encore *quête*, *racage*, *estran*, *suroît* et *vareuse*, mais aussi des mots comme *girouette*, *dalle*, « plaque de pierre », ou l'argot *blèche*.

29

Anglo-normand

Parler fondé sur certains dialectes* du français d'oïl
(parlers de l'Ouest : Maine, Normandie et Bretagne),
l'anglo-normand est en usage en Angleterre du XIe
au XVe siècle. C'est une variété de l'ancien français.

En 1066, Guillaume le Conquérant, duc de Normandie, accède au trône d'Angleterre et entraîne à
sa suite ses chevaliers originaires des régions de
l'ouest de la France. Ce sont leurs dialectes, avec le
normand comme point fort (parlé dans les îles Anglo-
Normandes), qui servent de base à l'anglo-normand.
En 1154, Aliénor d'Aquitaine apporte à l'Angleterre
ses possessions françaises du Sud-Ouest, où l'on
parle gascon ; en 1279, le Ponthieu, de langue picarde, devient anglais. L'anglo-normand s'enrichit ainsi
d'apports picards et gascons.

Cette langue, formée de l'amalgame de différents
parlers romans et influencée par l'adstrat*
anglais, se démarque du normand continental. À
cela s'ajoute l'influence grandissante du français
d'Île-de-France à partir du XIIe siècle.

Cette variante du français d'oïl pénètre, à la fin du
XIIe siècle, toutes les couches de la population, même
les milieux ruraux qui conservent l'ancien anglais
comme langue vernaculaire*. Du milieu du XIe siècle
au début du XIIIe, c'est la période faste de l'anglo-normand, illustrée par une littérature extrêmement
abondante qui fournit des témoignages importants
pour l'histoire du français et de son lexique*.

Si l'anglo-normand parlé est en déclin dès le
XIIIe siècle parmi la population, il est d'usage courant
à la cour d'Angleterre jusqu'au début du XVe siècle.
Le prestige de la langue, surtout écrite, durera jusqu'au XVIIIe siècle dans le domaine juridique sous

parlé à Guernesey est particulièrement archaïsant ; il se rattache aux parlers normands du nord de la Manche, tandis que le parler de Jersey, le « jerriais », se rattache aux dialectes du sud de la Manche, plus évolués que ceux du Nord.

C'est à l'anglo-normand que l'on doit l'introduction précoce en français (à partir du XIᵉ siècle jusqu'au XVIᵉ) de mots comme *beaupré* (terme de marine) ou *toupie*. Le mot *verdict* fait partie des emprunts* « aller-retour » (français/anglais/français) ; ces cas nombreux (*coroner, gallon*) sont dus à l'influence réciproque des deux nations à des époques différentes.

L'anglo-normand a été fortement influencé par l'anglais dans sa prononciation et, en moindre part, dans son lexique. Il a en revanche profondément marqué l'anglais puisque l'on estime à environ 33 % l'apport du français — grâce en grande partie à l'anglo-normand — au lexique anglais.

la forme du « *law french* »; l'anglais y a toutefois été imposé définitivement au début du XVIᵉ siècle.

En dépit de leur nom, les îles Anglo-Normandes se rattachent linguistiquement au normand. Le normand

31

Occitan

L'occitan, auquel est rattaché le catalan, comprend l'ensemble des parlers gallo-romans du sud de la France dont certains ont des ramifications hors du territoire français (Piémont en Italie et val d'Aran en Espagne). Il s'étend sur 33 départements français et on évalue à environ 2 millions le nombre de locuteurs des parlers occitans en France.

Bordés au nord par les parlers de langue d'oïl et à l'est par les parlers franco-provençaux, les parlers occitans s'étendent, avant le XIᵉ siècle, de l'embouchure de la Loire jusqu'aux Vosges méridionales.
La limite actuelle du domaine occitan, fixée depuis le Moyen Âge, se situe au-dessous d'une ligne allant de la Gironde aux Alpes. Linguistiquement, ces parlers sont divisés en trois groupes : le **nord-occitan**, comprenant le *limousin*, l'*auvergnat* et le *vivaro-alpin* ou *provençal alpin*, qui s'étend de l'Ardèche aux vallées piémontaises ; l'**occitan moyen** ou **méridional** avec le *languedocien* et le *provençal* ; et enfin le **gascon**.

La langue d'oc constitue dans l'Europe du Moyen Âge une grande langue de civilisation. La poésie et la lyrique des troubadours rassemblent autour d'eux poètes italiens ou catalans qui écrivent en langue d'oc. Leurs émules sont les trouvères de langue d'oïl puis les minnesänger allemands ou encore Dante. La croisade contre les albigeois (1208-1244), qui ébranla les fondements mêmes de la société méridionale, marque la fin de cet âge d'or. Malgré quelques tentatives de renaissance, la koinè* occitane se dialectalise au cours des siècles suivants et, à l'écrit, le français tient un rôle de plus en plus important (à partir du XVIᵉ siècle). Les locuteurs resteront cependant bilingues jusqu'à la Révolution.

La création du Félibrige au XIXᵉ siècle (1854) par Mistral et Roumanille redonne à l'occitan le lustre qu'il avait perdu. Les félibres produisent des œuvres littéraires et poétiques mais aussi des dictionnaires et mettent sur pied un système graphique commun aux parlers occitans. Alors que les parlers s'éteignent malgré la « réoccitanisation » des jeunes générations, la langue écrite retrouve peu à peu, depuis le milieu du XXᵉ siècle et sous l'impulsion du mouvement occitaniste, sa place de langue de culture. Le français régional d'Occitanie, largement utilisé par des écrivains comme Alphonse Daudet, Marcel Pagnol, Jean Giono, Henri Bosco, Henri Pourrat, Eugène Le Roy, Thyde Monnier, Jean Anglade, Pierre Magnan ou plus près de nous Jean-Claude Izzo, reste quant à lui bien vivant.

L'apport des parlers occitans au français se fait sentir dès la fin du XIᵉ siècle et il continue encore aujourd'hui. Le rayonnement de la poésie des troubadours véhicule l'idéal d'une culture raffinée qui influence non seulement la littérature française mais aussi le lexique*.

À partir du XIIIᵉ siècle, après la croisade des albigeois et l'annexion du Languedoc par le royaume de France, un grand nombre de mots désignant des réalités de la vie méditerranéenne sont transmis au français par les parlers occitans surtout languedociens et provençaux.

La vague d'emprunts* s'amplifie au XVIᵉ siècle, soutenue par le mouvement de la Pléiade puis par l'accession au trône de France du Béarnais Henri IV. Par la suite, le français moderne, attiré par la couleur de cette langue, emprunte régulièrement des mots à l'occitan, en moins grand nombre cependant.

Accolade, amour, badaud, bafouer, ballade, bastide, braguette, cabane, câble, cagot, camisole, capeline, ciboule, escargot, s'esclaffer, estrade, faisan, flamant, gabare, hirondelle, jaloux, muscat, rôder, troubadour.

Languedocien

Le languedocien rassemble les parlers occitans qui forment, avec le provençal, le sous-groupe de l'occitan moyen ou méridional.

Le languedocien est réparti en deux sous-dialectes*.

- Le ***languedocien oriental*** couvre les départements du Gard, de l'Hérault (est), la frange méditerranéenne des départements de l'Aude et des Pyrénées-Orientales, ainsi que les parties des départements de l'Ardèche, de la Lozère et de l'Aveyron limitrophes des départements du Gard et de l'Hérault ; le *cévenol* est une variante du languedocien oriental.
- Le ***languedocien occidental*** couvre une aire qui s'étend du département de la Dordogne à l'Ariège et du Lot-et-Garonne jusqu'à l'Aveyron ; le *quercynois* ou *carcinol*, le *rouergat*, le *gévaudanais* sont des variantes de ce sous-groupe.

Le languedocien est souvent considéré comme le parler occitan par excellence, le plus pur et le plus proche de la langue des troubadours.

Provençal

Dialecte* occitan, le provençal fait partie
du groupe des dialectes de l'occitan moyen
ou méridional parlé en Provence.

On distingue généralement quatre sous-dialectes.
- Le **rhodanien** couvre une aire qui s'étend sur le
département du Vaucluse, le nord des Bouches-
du-Rhône et le pays d'Arles ; il comprend donc
le *marseillais*.
- Le **dialecte maritime** s'étend sur la frange méditerranéenne des Bouches-du-Rhône, le département du Var et à l'ouest du département des
Alpes-Maritimes.

- Le **provençal alpin** ou **gavot** fait partie du groupe
nord-occitan et est parlé dans les Alpes provençales
et quelques hautes vallées italiennes.
- On trouve *le* **niçois** ou **nissart** à Nice et dans sa
région. L'entité que forme le parler nissart est due
au fait que Nice et le comté de Nice ne font plus
partie de la Provence entre 1388 et 1860.

Le terme de *provençal* désigne également l'ensemble des parlers occitans et celui d'*ancien provençal*, la langue occitane écrite avant 1500.
On lui préfère généralement le terme d'*occitan*
et d'*ancien occitan* pour lever l'ambiguïté avec
le sens plus restreint de dialecte particulier de
l'occitan.

35

Catalan

Langue romane, le catalan est rattaché au groupe occitan. Son histoire connaît des périodes d'apogée, de déclin et de renaissance liées en grande partie aux circonstances historiques. Dès le IIe siècle, la Catalogne est romanisée. Le latin qui y est parlé porte les traces des anciens occupants de la région : Celtibères et Basques. Par la suite, l'implantation des Wisigoths, au Ve siècle, puis celle des Francs, au VIIIe siècle, aident, mais dans une faible mesure, à la différenciation du latin parlé que l'on peut déjà appeler « proto*-catalan ».

La langue parlée en Catalogne à l'arrivée des Arabes, au début du VIIIe siècle, est déjà fortement dialectalisée. Elle partage des traits communs à l'espagnol et au portugais que l'on ne retrouve pas en occitan et, inversement, elle partage des traits communs avec l'occitan que l'on ne retrouve ni en portugais ni en espagnol. L'influence des Arabes, liée à la durée variable de leur occupation selon les régions, se fait plus ou moins sentir à l'intérieur du domaine catalan (Valence et Majorque sont plus « arabisées » que Barcelone).

Malgré tout, le catalan, qui devient une langue administrative, littéraire et scientifique, reste une langue très unitaire et se stabilise au Moyen Âge. Seule exception à cette époque (XIIIe siècle), la langue poétique : les poètes catalans écrivent essentiellement en occitan, attirés par le rayonnement de la poésie des troubadours et par la proximité linguistique de l'occitan. La Catalogne connaît alors, jusqu'au XVe siècle, son apogée culturelle, politique et économique. Rattachée ensuite à la couronne de Castille et d'Aragon (1412), la Catalogne et le catalan sont tributaires de l'influence prépondérante de la Castille et du castillan.

Si le catalan écrit est menacé d'extinction au début du XVIIIᵉ siècle, la langue parlée se maintient comme langue vernaculaire*. Cette survie lui permet de connaître au XIXᵉ siècle une renaissance réelle, grâce au mouvement romantique qui met au goût du jour les langues vernaculaires et la poésie des troubadours.

Cette renaissance linguistique et culturelle mène au début du XXᵉ siècle (création en 1907 de l'*Insitut d'Estudis Catalans*) à des travaux de normalisation et de standardisation de la langue. Cette tentative est interrompue à l'époque franquiste. Les travaux sont repris avec le rétablissement en 1977 de la « Generalitat de Catalunya » et la mise en place d'une politique linguistique.

Aujourd'hui, le catalan est parlé principalement en Catalogne, à Valence (Espagne) et aux Baléares (plus de 5 millions de locuteurs), en Andorre (environ 30 000 locuteurs) où il est la seule langue officielle de l'État, ainsi qu'en France dans le Roussillon (près de 260 000 locuteurs). La ville d'Alghero en Sardaigne, ancienne possession de la Catalogne, est aujourd'hui également catalanophone .

On note en 1998 une croissance d'environ 3 % du nombre de locuteurs de cette langue par rapport à 1991.

Malgré le rayonnement catalan jusqu'à la Renaissance, le français a emprunté, avant cette époque, peu de mots à cette langue. Quelques mots d'origine arabe sont parvenus plus tard au français par son intermédiaire, aux XVIᵉ et XVIIᵉ siècles, comme par exemple *abricot*, *aubergine* ou *benjoin*.

Le catalan parlé sur le sol français (appelé aussi *roussillonnais*) a laissé le mot *espadrille* et a influencé – et influence encore – le français régional du Roussillon.

37

Espagnol

L'espagnol, également appelé « castillan » (du nom du dialecte* dont il est issu), est la langue romane la plus parlée. Il occupe le deuxième rang dans le monde, après le chinois et avant l'anglais. On dénombre, en 1987, 266 millions de locuteurs de langue maternelle espagnole dans le monde (332 millions si l'on compte les locuteurs dont c'est la langue seconde) ; le français compte, en comparaison, 75 millions de locuteurs. L'espagnol est parlé essentiellement en Espagne (et aux Canaries), en Amérique latine (Argentine, Mexique, Pérou, etc.), dans les Antilles (en particulier à Cuba et à Porto Rico) ; cet ensemble d'outre-Atlantique est appelé « hispano-américain ». L'espagnol est également parlé dans les enclaves de Ceuta et Melilla, au nord du Maroc.

L'espagnol comprend au Moyen Âge différentes variantes dialectales* issues du latin parlé dans l'ancienne province romaine d'Hispanie.

- Le *galicien-portugais*, parlé au nord-ouest de l'Espagne. Le galicien est la langue maternelle d'environ 3,8 millions de locuteurs. Il donnera naissance, en se propageant vers le sud, au portugais.
- Le *castillan*, dialecte* du centre de l'Espagne, devient, par sa position centrale mais également pour des raisons politiques et militaires, la langue commune.
- L'*asturien-léonais* se situe géographiquement entre le galicien et le castillan. Si l'asturien est encore parlé par environ 800 000 personnes, le léonais a été presque complètement évincé par le castillan.
- Le *navarro-aragonais* est parlé au nord-est du pays, entre le catalan et le castillan. Aujourd'hui, l'aragonais est encore parlé par environ 30 000 personnes, mais il est en net recul devant la poussée du castillan.
- Le *mozarabe*, au sud du pays, est le dialecte roman très arabisé (il était d'ailleurs transcrit en écriture arabe) des Mozarabes. Il est assimilé par les chrétiens au cours de la Reconquête (la *Reconquista*).

- Un groupe à part est formé par le *judéo-espagnol* ou *ladino*, langue des juifs d'Espagne, basé sur l'espagnol et mêlé d'éléments hébreux.

En 1492, la Reconquête est achevée par les « Rois Catholiques », Ferdinand d'Aragon et Isabelle de Castille ; c'est le début du siècle d'or, celui de l'essor littéraire et de l'expansionnisme espagnol. La même année, Christophe Colomb découvre l'Amérique en arrivant aux Grandes Antilles. Ce sont ces îles qui sont le foyer de diffusion de l'espagnol. Or, les hommes de la flotte de Christophe Colomb, puis, plus tard, les premiers colons, sont pour la plupart andalous et non castillans. C'est donc un espagnol à forte coloration andalouse qui sert de base à la langue diffusée aux Antilles et en Amérique latine.

européen. On distingue donc en général le **castillan** de l'**espagnol d'Amérique** ou **hispano-américain**.

L'apport de l'espagnol se fait sentir dans le lexique* français dès le XIIe siècle. L'espagnol participe à la diffusion en France et en Europe de mots d'origine arabe soit par le mozarabe soit, peu à peu, par l'espagnol. À la fin du XVe et au XVIe siècle, les Espagnols ont assimilé le vocabulaire mozarabe et la diffusion est plus massive.

Alambic, alezan, algarade, azerole, curcuma, épinard, felouque, genette, guitare, hasard, satin.

À partir du XVIe siècle, des mots issus des langues amérindiennes et désignant des réalités du Nouveau Monde pénètrent en français, par l'intermédiaire de traductions des récits de voyage.

Cacique, caïman, cannibale, canot, kayac, hamac, lama, maïs, ouragan, patate, pirogue, tabac, tomate, yucca.

En outre, cet espagnol d'Amérique a été, et est encore, fortement influencé par les apports des différentes langues amérindiennes autochtones et des langues africaines parlées par les esclaves aux Antilles.

Comme toutes les langues isolées de la langue-souche, elle a conservé un certain nombre d'archaïsmes compensés par des innovations sémantiques que l'on ne retrouve pas dans l'usage

Pendant le siècle d'or, la renommée d'auteurs comme Cervantès, Lope de Vega ou Calderón de la Barca dépasse les frontières de l'Espagne. Le français emprunte alors des mots désignant surtout des attitudes comportementales dont certaines sont typiques du roman picaresque : *fanfaron, matamore, hâbler, camarade,* ou encore *sieste.*

Par la suite, l'espagnol fournira au français des mots du vocabulaire politique (*guérilla, caudillo, pasionaria*). L'Espagne et son folklore, qui attirèrent certains écrivains, spécialement au XIXᵉ siècle, sont bien représentés : vêtements, danses, spécialités culinaires ou tauromachie (ce domaine est particuliè-

rement bien illustré dans le *Voyage en Espagne* de Théophile Gautier, publié en 1843). Des auteurs comme Mérimée – à qui l'on doit *Carmen* (1845), mis en musique par Bizet (1875) – contribuèrent à la diffusion de mots comme *gitane, manzanille, séguedille.* À partir du XVIIIᵉ siècle, ce sont des emprunts* à l'hispano-américain ou référant à des réalités hispano-américaines, et plus tard à des mots de la vie agricole, qui sont introduits en français.

Cigare, cigarillo, corral, estancia, gaucho, hacienda, lasso, machisme, macho, mamba, marijuana, maté, poncho, rumba, salsa, tango, tortilla.

La présence de l'Espagne en Afrique du Nord (Ceuta et Melilla sont aujourd'hui encore des enclaves espagnoles) rend compte d'éléments espagnols dans la *lingua franca,* sabir* parlé jusqu'au XIXᵉ siècle dans les ports de la Méditerranée. C'est donc indirectement à l'espagnol que le français est redevable de mots comme *moukère, moujingue* ou le verbe argotique *mater.*

41

Portugais

Le portugais fait partie avec l'espagnol de l'ensemble ibéro-roman. Il est parlé au Portugal, dans les archipels des Açores et de Madère. C'est la langue maternelle d'environ 175 millions de locuteurs dans le monde, dont à peu près 160 millions au Brésil. Certains pays d'Afrique, anciennes colonies portugaises comme l'Angola, le Mozambique, la Guinée-Bissau, le Cap-Vert ou les îles de São Tomé et Príncipe, comptent des locuteurs lusophones, de même qu'en Chine, dans l'ex-enclave de Macao où le portugais est la langue de l'Administration. Le portugais occupe ainsi la cinquième place parmi les langues du monde.

LE PORTUGAIS EN EUROPE

Le portugais, issu du galicien, dialecte* espagnol du nord-ouest de la péninsule Ibérique, s'est constitué comme langue indépendante au milieu du XIVe siècle. Au contraire de l'espagnol, il ne comporte que très peu de variantes dialectales*. Son fonds lexical est plus archaïque que celui de l'espagnol et les emprunts* à l'arabe sont moins nombreux.

Dès le IXe siècle, un ensemble galicien-portugais, au nord-ouest de la Péninsule, se détache. Au XIIe siècle, la Galice est rattachée à la Castille et au León. Un royaume de Portugal se forme en déplaçant son centre politique et linguistique vers le sud : Lisbonne,

devenue capitale en 1255, se trouve en zone moza-rabe, la frontière passant entre Porto et Coimbra. La langue se centre alors sur le parler de Lisbonne et de Coimbra. Le portugais se distingue peu à peu du galicien.

LE PORTUGAIS DANS LE MONDE

L'époque de la Renaissance coïncide avec celle des grandes expéditions maritimes du Portugal. Après avoir exploré les Açores, Madère et les côtes d'Afrique (arrivée des Portugais en 1482 en Angola, fondation des comptoirs au Mozambique en 1502), Vasco de Gama trouve la route des Indes et arrive à Calicut (aujourd'hui Kozhikode). Les Portugais s'établissent alors à Goa, en Malaisie et dans les Moluques ; ils fondent des comptoirs sur les côtes de l'Inde, au Sri Lanka et en Indonésie (Java, Timor-Est). Des créoles* et des pidgins* à base portugaise naissent en Afrique et en Asie alors que la langue écrite reste la même que le portugais européen.

LE PORTUGAIS AU BRÉSIL

En même temps que Vasco de Gama découvre la route des Indes, que les comptoirs portugais sont fondés sur les côtes indiennes, en Indonésie et en Afrique, Cabral découvre le Brésil (1500). La langue portugaise, marquée de quelques traits régionaux, y est parlée à côté du *tupi*, langue amérindienne (le tupi-guarani, appelé la *línga geral*, la « langue générale », servira de langue véhiculaire* entre les Blancs et les Indiens puis sera normalisé par les jésuites et parlé jusqu'au XVIIIe siècle).
À côté du *tupi*, le portugais du Brésil évolue indépendamment du portugais européen. Des diffé-

rences sont notées dès le XVIIIᵉ siècle. Dès le début du XIXᵉ siècle (le Brésil devient indépendant en 1822), le métissage des populations indiennes et euro-péennes, la fin de l'esclavage noir, l'immigration d'Italiens et d'Allemands renforcent le fossé qui se creuse entre les deux portugais. Au XXᵉ siècle, avec l'accroissement important de la population et donc du nombre de locuteurs, on peut désormais parler de « brésilien » pour le portugais du Brésil tant l'écart, surtout phonétique* et lexical, entre le por-tugais d'Amérique et le portugais d'Europe est grand.

Le portugais étant devenu une langue indépendante du galicien seulement au XIVᵉ siècle, les mots que le français lui emprunte ne sont pas introduits avant le XVᵉ siècle. Excepté *caravelle*, ce sont quelques rares mots d'origine arabe (les Mozarabes ayant occupé le sud du Portugal au Moyen Âge) comme *argousin*, *balise* ou *marabout*.

Le plus grand apport du portugais au français est réalisé de la fin du XVᵉ au milieu du XVIIᵉ siècle, époque où le Portugal est une grande puissance (Afrique, Inde, Indonésie, Amérique du Sud).

Comme l'espagnol, la langue portugaise participe à la diffusion de mots empruntés aux langues autochtones de ses colonies. Le portugais fournit au français des mots d'origines diverses :

• des langues africaines : *igname* ; la concurrence hollandaise et portugaise en Afrique permet de comprendre l'emprunt de mots comme *commando* ou *mousson*, passés par l'afrikaans ou le néerlandais.

Le rôle de prêteur du portugais est limité, tant dans sa variante européenne que brésilienne.

Outre les mots qui désignent des réalités culturelles (comme *fado*), le portugais d'Europe transmet au français des mots plus répandus comme *baroque* (perle), *fétiche, macaque, marmelade, vigie*.

D'autres mots comme *caste* et *bayadère, albinos* et *métis, coco, palmiste* ou encore *pintade* marquent la présence des Portugais aux Indes et en Afrique. Des mots du portugais du Brésil, souvent introduits tels quels en français, sont empruntés à partir du xixe siècle. Ils désignent essentiellement des réalités culturelles de ce pays comme *samba* et *bossa-nova* ou *favela* et *fazenda*.

• du malais : *mandarin, cachou* ou *bambou* ;
• des langues de l'Inde : *bétel, copra, cornac, mangue, pagode, palanquin, paria, roupie,* et, par l'intermédiaire de l'anglais, *tank* et *véranda* ;
• des langues d'Asie : *typhon* ;
• des langues amérindiennes : *couguar, ipéca, jaguar, pétun, piranha, tapioca* ;

Italien

Basé sur le dialecte* florentin, l'italien est une langue romane parlée en Italie. Il est la langue officielle de ce pays où l'on parle des centaines de dialectes encore très vivants. L'italien standard est de ce fait la langue maternelle de seulement la moitié des Italiens, soit environ 30 millions de personnes.

La « question de la langue » préoccupe les Italiens depuis le XIIIᵉ siècle. En effet, le latin parlé dans la Péninsule s'est rapidement diversifié, et on distingue généralement trois groupes fortement différenciés.

- **Les parlers de l'Italie du Nord,** ou parlers *gallo-italiens,* comprennent par exemple le *lombard*, le *piémontais*, le *ligure*[1] (dont le *génois*) ou encore le *vénitien*. Ces dialectes font partie de la *Romania* occidentale.

- **Les parlers toscans** regroupent le *toscan central* ou *florentin*, le *toscan occidental* (avec le *pisan* ou le *siennois*) et enfin l'*aretino* (parler d'Arezzo) et le dialecte du Val di Chiana.

- **Les parlers de l'Italie centrale et méridionale** comprennent le *napolitain*, le *calabrais* et le *sicilien*. Ces deux derniers groupes se rattachent à la *Romania* orientale.

La fin du XIIIᵉ siècle marque la rupture entre la langue vulgaire, l'ancien italien ou italien médiéval (dont la tradition écrite remonte au IXᵉ siècle), et la langue

(1) Langue ancienne du groupe italo-celtique.

L'unification politique, achevée en 1861, contribue à l'unification linguistique : on adopte comme langue littéraire et, cette fois-ci, de communication, la langue littéraire florentine, adaptée au dialecte florentin contemporain débarrassé des traits typiquement toscans.

Malgré tout, cette langue commune est aujourd'hui encore l'objet de débats. En effet, les dialectes étant très vivants, elle se teinte de traits dialectaux* propres à chaque région ; elle est donc toujours concurrencée par l'« italien populaire » (*italiano popolare*).

Les obstacles naturels tels que les Apennins ainsi que le morcellement politique rendent compte d'une part de la diversité dialectale, amorcée au Moyen Âge, et d'autre part de la persistance des dialectes. Un autre facteur intervient dans la diversification : l'action des substrats* et des superstrats*. Il s'agit du celtique dans le nord de la Péninsule,

littéraire dans laquelle écrivent les poètes des *Tre Corone*, Dante, Boccace et Pétrarque. Leur dialecte, le florentin ou le toscan, obtient, du fait de leur prestige, le statut de langue littéraire commune.

Mais cette langue n'est qu'une langue littéraire, qui, au cours des siècles, frappe de plus en plus par son archaïsme. Le dialecte florentin parlé au XIXe siècle est en effet très éloigné de ce modèle.

47

de l'étrusque dans le Centre, de l'italique[2] dans la partie centrale et méridionale et enfin du grec dans le Sud. Ces langues de substrat font sentir leur influence dans le lexique* avant tout. Les Ostrogoths, les Francs et les Longobards, derniers envahisseurs germains dans le monde romain (installés en Italie du Nord avec Pavie pour capitale), marquent leur passage en laissant des traces dans le vocabulaire. L'italien emprunte également au grec byzantin et à l'arabe de même qu'au latin et au français (les Normands occupent l'Italie du Sud et la Sicile ; le prestige des troubadours occitans a également une grande influence).

Malgré ces différents apports, l'italien reste très proche du latin.

Le français emprunte à l'italien de manière régulière depuis les croisades. Néanmoins, l'apport italien au français s'intensifie à partir du XIVe siècle pour culminer au XVIe siècle. Dès le XIVe siècle, en effet, la renommée de poètes comme Dante, Boccace ou

Pétrarque dépasse les frontières et l'italien asseoit son prestige.

Au Moyen Âge, l'italien fournit au français des mots orientaux qu'il a empruntés aux Arabes implantés en Sicile (du IXe au XIe siècle), comme *sucre, coton, candi, ouate*. C'est grâce aux croisades que l'Italie

(2) Les langues romanes parlées dans l'Italie ancienne (latin, osque, ombrien, etc.).

devient une plaque tournante internationale et commerciale (développement des ports comme Gênes et Venise). On lui emprunte dès le XIIIe siècle des mots des domaines maritime, commercial, international, politique et militaire.

La fin du XVe siècle voit en France les premières guerres d'Italie, dirigées par Charles VIII, à un moment où l'Italie vit la Renaissance ; les Français découvrent un art de vivre qu'ils ne connaissent pas. Fascinés par le raffinement des mœurs et de la vie artistique, par la préciosité et le luxe italiens, ils attirent en France un grand nombre d'artistes. L'accession au trône de France de Catherine de Médicis ne fait que renforcer ce mouvement. Au XVIe siècle, une querelle s'engage autour d'une langue française trop fortement italianisée.

L'époque de la Renaissance (XVe-XVIe siècles) voit déferler des mots des domaines de l'architecture, de l'armée, du commerce, des beaux-arts, de la mode, des mœurs, de la gastronomie...

À partir du XVIIe siècle, le français continue certes à emprunter à l'italien mais de moins en moins. Ce sont essentiellement des mots des domaines de la peinture, de la musique (en particulier au XIXe siècle avec la vogue de l'opéra en France), et de la gastronomie.

49

Académie, alarme, alerte, ambassade, appartement, arlequin, artisan, babiole, bagatelle, balcon, ballet, bande, banque, banqueroute, batifoler, bilan, bouffon, brigand, brusque, canon, caprice, capricieux, capuchon, caresse, carnaval, cartouche, cavalerie, cervelas, charlatan, cinéaste, concert, courtisan, courtisane, débandade, délicatesse, désastre, dessin, disgrâce, dolce vita, douane, duo, embusquer, épinette, escadre, escarpin, escompte, escorte, escroquer, espion, esplanade, estafette, fascisme, faillite, favori, fougue, futurisme, guirlande, imprésario, improviste (à l'), incognito, infanterie, intrigant, intriguer, leste, libéro, ligue, macaron, madrigal, mafioso, magasin, mascarade, masque, mercantile, modèle, mortadelle, mosaïque, moustache, mozzarella, négociant, omerta, osso bucco, papamobile, paparazzi, pavane, pédant, perruque, piédestal, pistache, pizzeria, plastron, pointilleux, poltron, rebuffade, s'amouracher, saltimbanque, saucisson, sentinelle, sérénade, soldat, sorbet, soudard, sourdine, tifosi, trafic, trafiquer, travestir, trio, vermicelle, vespa, veste, violon.

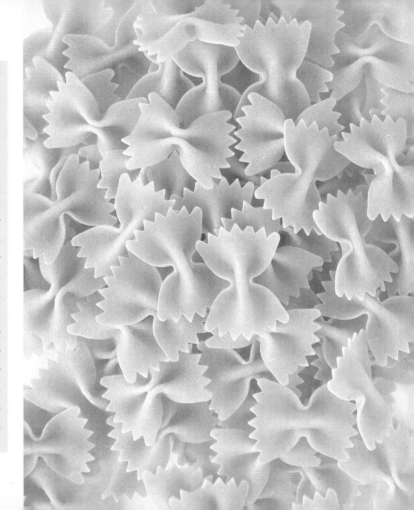

Corse

Langue romane du sous-groupe italien, le corse est parlé en Corse (280 000 locuteurs) mais aussi dans des communautés corses du Canada, de Porto Rico, des États-Unis, d'Amérique du Sud et en Italie (environ 60 000 personnes).

Fortement romanisée, cette langue d'origine obscure a connu l'apport de dialectes* italiens, comme le toscan (la Corse appartint à Pise de 1077 à 1284) puis le génois (l'île fut rattachée à Gênes de 1284 à 1769).

Le corse reste une langue unitaire, composé de trois variantes dialectales* principales : le corse du Nord ou *lingua suprana*, le corse central ou *lingua mizana* et le corse du Sud ou *lingua suttana*.

La situation insulaire de la Corse et son relief très accidenté expliquent les particularités de ce domaine linguistique : la langue corse a conservé des archaïsmes latins et italiens, et elle abrite deux îlots linguistiques : à Bonifacio, un îlot ligure[1] constitué au XIIIᵉ siècle par des colons génois et, à Cargèse, un îlot grec résultant de l'accueil fait par les Génois à des émigrants grecs au XVIIᵉ siècle.

(1) Langue ancienne du groupe italo-celtique.

Roumain

Le roumain est parlé en Roumanie par environ 20 millions et demi de personnes. Ce pays, où le français est la première langue étrangère, enseignée dès le primaire, est une enclave romane entre des pays de langues slaves et hongroise.

Le roumain est divisé en quatre dialectes*:
- le *daco-roumain*, ou roumain proprement dit, langue officielle de la Roumanie, parlé dans la région historique de Valachie ;
- le *mégléno-roumain*, parlé au nord-ouest de Salonique ;
- le *macédo-roumain*, parlé en Macédoine mais aussi en Albanie et en Thessalie ;
- l'*istrio-roumain*, en Istrie, presqu'île que se partagent la Croatie et la Slovénie.

La Roumanie occupe le territoire de l'ancienne province romaine de Dacie, conquise par les Romains

52

au IIe siècle, d'où le nom officiel du roumain, le *daco-roumain*. Perdue par Rome à la fin du IIIe siècle, elle est envahie par des peuples germaniques et slaves. Ce pays étant isolé du reste de l'Empire, le latin s'y conserve grâce aux Daces, profondément christianisés. Il évolue très vite en daco-roman et se démarque fortement des autres langues romanes. Langue conservatrice, comme les langues isolées de leur souche, le roumain présente une remarquable homogénéité malgré la longue séparation des régions historiques de Roumanie, la Valachie, la Moldavie et la Transylvanie.

L'influence slave se fait sentir à partir du VIIe siècle. Cette influence du superstrat* reste faible, au contraire des autres langues romanes, car la structure de la langue était déjà fortement fixée. Le roumain conserve ainsi un fonds lexical latin qui avoisine les 60%.

Langues

germaniques

Les langues germaniques dérivent d'un germanique commun (ou ancien germanique), distinct des autres groupes de langues de la famille indo-européenne depuis environ 500 avant J.-C.

Ces langues sont réparties en trois groupes.

- **Le groupe du germanique septentrional**, aussi appelé « nordique », regroupe le danois, le féroïen, le norvégien, le suédois et l'islandais. Ces langues nordiques ont pour ancêtre commun le norrois, qui s'est éteint à la fin du Moyen Âge. Du VIIIe au XIe siècle, l'actuelle Haute-Normandie est occupée par des Vikings d'origine danoise. La langue de ces « hommes du Nord », le norrois, a influencé le normand, transmettant ainsi dans le lexique* français des mots d'origine norroise.

- **Le groupe du germanique oriental** (ou ostique), comprend des langues aujourd'hui disparues : le gotique, langue des Goths, le vandale et le burgonde. Cette dernière, langue des Burgondes qui ont occupé l'est de la Gaule dès 443, a joué un rôle important par son superstrat* dans la formation linguistique du domaine franco-provençal, dont elle a influencé le lexique*, la toponymie* (*Bourgogne* vient de *Burgonde*) et l'anthroponymie*.

- **Le groupe du germanique occidental** (ou westique) comprend le longobard (langue des Longobards qui a laissé des traces en italien), le francique, le haut allemand, le bas allemand et l'anglais. Le haut allemand, base de l'allemand moderne, comprend les dialectes* alémaniques (suisse allemand et alsacien) et franciques (dont le francique rhénan, parlé dans la Moselle notamment), ainsi que le luxembourgeois. On y rattache aussi le yiddish. Le bas allemand, quant à lui, rassemble le hollandais (dialecte de base du néerlandais), le flamand et le frison.

Norvégien

Après avoir disparu comme langue écrite et religieuse au Moyen Âge, le norvégien est remplacé par le danois du XIVᵉ au XVIIIᵉ siècle, lors de l'unification des royaumes scandinaves (Union de Kalmar en 1397) puis de la domination danoise (1523).

Au moment de l'indépendance de la Norvège, en 1814, le norvégien est toujours parlé, mais il n'y a plus de langue écrite. La lutte s'engage autour du choix de la langue écrite et conduit à la normalisation de deux variantes concurrentes. L'une, parlée, le *landsmål*, la « langue du peuple », est appelée à partir de 1929 le *nynorsk*, le « nouveau norvégien » ; l'autre, le *riksmål*, la « langue du royaume », fortement influencée par le danois, est plus savante et sert à l'enseignement. Elle sera appelée en 1929 le *bokmål* ou « langue des livres ». L'État norvégien tentera de réunir ces deux langues, en vain.

Aujourd'hui parlé en Norvège par presque cinq millions de locuteurs, le norvégien a d'abord transmis au français quelques rares mots reflétant des réalités géographiques (*fjord, iceberg*). Puis, avec la pratique du ski en France et en Europe à la fin du XIXᵉ siècle, le français emprunte au norvégien le vocabulaire lié à ce loisir (*stem, christiania*...).

Suédois

En Suède et dans le sud-ouest de la Finlande, environ 10 millions de personnes parlent la seule langue tonale d'Europe : le suédois.

Patrie de Linné, père de la nomenclature botanique et zoologique, de l'astronome et physicien Celsius, des chimistes Scheele et Berzelius (ce dernier introduisit la notation des symboles chimiques), la Suède, ou plus exactement le suédois, ne pouvait que prêter au français, notamment du milieu du XVIIIe au milieu du XIXe siècle, des termes scientifiques (comme *allotropie*) ou des noms de minerais (*nickel, tungstène*, ou *thorium*), des noms d'animaux (*labbe* ou *harfang*) ou de plantes (*rutabaga*).

Mais on doit aussi au suédois des mots de la mythologie nordique introduits à l'époque romantique, comme *elfe* ou *troll*.

57

Gotique

Langue éteinte des Goths, le gotique est la seule langue germanique dont on conserve des traces écrites dans des fragments de la Bible de Wulfila (du nom d'un évêque wisigoth du IVᵉ siècle qui traduisit la Bible en gotique).

Établi en Ukraine, le peuple germanique des Goths se divise très tôt en deux branches.

- D'une part, les Ostrogoths, qui s'implantent en Italie pendant un siècle et y forment un royaume jusqu'en 555 ;
- D'autre part, les Wisigoths, qui, après avoir envahi l'actuelle Bulgarie, s'établissent dans le sud de la Gaule jusqu'à Bordeaux. Ils fondent ensuite le royaume wisigoth qui s'étend de l'autre côté des Pyrénées, avec Toulouse pour capitale. Vaincus par les Francs,

ils partent, accompagnés d'Ostrogoths, en Espagne et se fixent à Tolède, qu'ils occuperont jusqu'à l'arrivée des Arabes en 711, avant de disparaître avec leur langue.

Le français a conservé des éléments du superstrat* gotique dans son lexique*. Si *bru, choisir* ou *gai* entre autres sont passés directement en français, des mots comme *corroyer, gabarit* ou *galoubet* ont d'abord transité par le latin populaire ou par des parlers régionaux.

Francique

Cette langue éteinte parlée par les Francs a été reconstituée à partir des dialectes* allemands du Moyen Âge. Le francique, ou ancien francique, est par ailleurs l'ancêtre du néerlandais.

L'influence du vocabulaire franc sur notre langue reflète d'une manière étonnante la progression et le degré d'implantation des Francs en Gaule.
La présence des Francs dans l'Empire romain est attestée depuis le IIe siècle, et c'est surtout entre la Picardie et la Lorraine que leur emprise se fait d'abord ressentir.

Les descendants de Clovis établissent ensuite leur suprématie sur les autres peuples germaniques (Wisigoths, Ostrogoths, Burgondes) et ainsi sur la plus grande partie de la Gaule. Ils laisseront leur empreinte en donnant leur nom à un État : la France.

Le superstrat* franc a influencé notre lexique* qui compte près de quatre cents mots d'origine francique, notamment dans le domaine des sentiments et des traits de caractère, pour lesquels les Francs avaient un vocabulaire riche et nuancé. Grands guerriers, ils nous ont aussi légué *guerre* et *blesser*, *dard* et *épieu*.

Baron, blé, bleu, brun, échanson, épervier, froc, gant, gris, haie, hardi, honnir, jardin, laid, manteau, maréchal, orgueil, renard, rose, sénéchal, troupeau.

Allemand

L'allemand standard, ou haut allemand, est né au XVIe siècle de la fusion de deux groupes dialectaux* : le moyen allemand (composé de dialectes* franciques), dont la prépondérance reste marquée aujourd'hui, et l'allemand supérieur (regroupant les dialectes alémaniques).

Le haut allemand recouvre la partie sud du domaine germanophone (l'Allemagne du Sud avec la Bavière, l'Autriche et la Suisse). Il rassemble, en 1995, 98 millions de locuteurs. Cependant, de nombreux Allemands ont encore pour langue maternelle des variétés d'allemand dialectal (dialectes du bas allemand et du haut allemand) ou régional.

Si, jusqu'au milieu du XVIIIe siècle, l'allemand emprunte au français, ce dernier empruntera aussi à l'allemand à toutes les périodes de l'histoire de cette langue (cependant, on relève peu d'emprunts* avant le XVe siècle). L'histoire de la langue allemande et de ses influences sur le français s'est construite en trois étapes.

• L'**ancien haut allemand** (du VIIIe au XIe siècle) est marqué par le règne des dialectes (alémanique, bavarois, francique) et celui du latin. Ainsi, le verbe *writan*, « entailler », qui désignait l'acte de graver les runes*, donc d'écrire (cf. l'anglais *to write*), est abandonné au profit de *schreiben*, du latin *scribere*, « écrire ».

• Le **moyen haut allemand** dure jusqu'au XVe siècle. Le latin est définitivement évincé par la langue vulgaire (il a subsisté dans les domaines de l'administration, de la justice et de la diplomatie jusqu'au début du XIVe siècle).

L'influence de la France, de ses troubadours et de ses trouvères, se traduira par les premiers emprunts de l'allemand au français.

La naissance des épopées, avec les minnesingers, poètes de l'amour courtois, fait apparaître une koinè* littéraire. Elle est la langue d'une élite, celle des lettrés, le reste de la population parlant un des nombreux dialectes allemands. La langue commune s'épanouit donc uniquement dans les lieux partagés par toutes les couches de la société comme les chancelleries. Elle sera ensuite divulguée par l'imprimerie.

• La période la plus fertile en emprunts à l'allemand commence au XVIe siècle avec l'**allemand moderne**. Luther ouvre cette période avec ses écrits religieux, dont notamment une traduction allemande étonnamment moderne de la Bible, dont la lecture quotidienne sera un vecteur de diffusion de la langue. Il introduit également

61

les majuscules à l'initiale des noms communs et emploie des mots nouveaux, très rapidement et largement acceptés.

L'allemand moderne est d'abord une langue de culture, puis sera enseigné à partir du XVIIe siècle. Le XVIIIe siècle voit l'afflux de mots français et latins porter un coup à la langue allemande. Le rayonnement de la France est incontournable ; Frédéric II de Prusse écrit en français, Leibniz s'y voit contraint.

Mais à cette époque naissent, dans les pays germanophones, des générations de grands écrivains (Goethe, dont l'allemand sera enseigné à partir du XIXe siècle, Schiller) et de scientifiques qui amorcent la renaissance de la langue allemande. Ceux-ci s'illustrent dans de nombreux domaines : philosophie, physique, chimie, mathématiques, sciences humaines, linguistique, philologie, psychanalyse, arts. Cette renaissance sera poursuivie et achevée par les romantiques (Heine, les frères Grimm).

Les emprunts du français à l'allemand sont alors nombreux, mais beaucoup passent inaperçus. Il s'agit souvent de calques* ou d'adaptations de mots formés d'éléments grecs ou latins communs au vocabulaire scientifique. Cependant l'emprunt est parfois inattendu et surprenant. Ainsi, le *croissant*, qui représente l'emblème des petits déjeuners du dimanche, est d'origine allemande !

Accordéon, anthropologie, aspirine, barbiturique, blockhaus, bretelle, bringue, bunker, chlinguer, chromosome, cobalt, ersatz, espiègle, flingue, homéopathie, jardin d'enfants, littérature, magnétophone, morphologie, panzer, pessimisme, pulsion, romantique.

Néerlandais

Langue germanique, le néerlandais est plus particulièrement rattaché au bas allemand.

Au XIVᵉ siècle, le bas allemand devient une langue suprarégionale utilisée à des fins commerciales dans toute l'Europe du Nord, et acquiert ainsi un statut semblable à celui d'une langue standard. Mais au XVIIᵉ siècle, la pénétration de l'allemand en Allemagne du Nord l'évince.
Le bas allemand comprend les dialectes* parlés en Allemagne du Nord (dont le bas saxon), le flamand et le frison, ainsi que le hollandais qui est le dialecte de base du néerlandais.

Le néerlandais standard est la langue de culture de 25 millions de personnes. Il est parlé aux Pays-Bas par 14 millions de locuteurs, en Belgique et en France (flamand). Hors d'Europe, le néerlandais est la langue officielle des Antilles néerlandaises et du Surinam. L'afrikaans, variété créolisée de néerlandais, est quant à lui la langue officielle de l'Afrique du Sud et de la Namibie.

Aux Pays-Bas, les locuteurs sont en situation de bilinguisme. Le néerlandais standard n'est la langue maternelle que d'un petit nombre de personnes. Entre elles, elles parlent soit un des dialectes franciques (le francique est l'ancêtre du néerlandais) comme le hollandais, le brabançon, le flamand ou le limbourgeois, soit un des dialectes saxons parlés au nord des Pays-Bas (le groningue ou le twente).

L'histoire de ce territoire aux frontières mouvantes et les multiples influences qui s'y sont exercées expliquent aisément que l'émergence d'une langue parlée normalisée au XVIIIᵉ siècle n'ait pas évincé les dialectes.

Au temps de l'Empire romain, la province de la Germanie inférieure recouvrait l'actuel territoire des Pays-Bas. Envahis par les Francs au sud, par les Frisons sur la côte et par les Saxons à l'est, puis christianisés et éclatés, les Pays-Bas retrouvent leur ancienne configuration après l'indépendance de la Belgique (1839).

Aux XIIᵉ et XIIIᵉ siècles, les villes d'Utrecht et d'Amsterdam deviennent d'importants centres économiques et commerciaux et participent à la Hanse. Le centre culturel se trouve alors dans les Flandres et le Brabant.
En 1579, la naissance de la fédération des Provinces-Unies (moitié sud des Pays-Bas) déplace le centre du pays en Hollande (Amsterdam et Rotterdam). La

fin du XVIᵉ siècle marque les débuts de l'élaboration d'une langue standard écrite basée sur les dialectes hollandais, flamand et brabançon. Hollandais et flamand sont très proches l'un de l'autre, et l'intercompréhension est aisée.

Si le néerlandais a considérablement prêté au français – le principal domaine d'emprunts* concerne la marine et la mer –, il a aussi joué un rôle de diffuseur. En effet, la présence des Pays-Bas en Afrique, en Indonésie ou encore en Malaisie, explique l'introduction en français de mots portugais (*mousson, sargasse*) ou encore malais (*lori, thé*) qui ont transité par le néerlandais.

Action (au sens bancaire), *bâbord, bar* (« poisson »), *bière, blocus, botte* (« gerbe »), *brique, cabaret, cabillaud, cahoter, cambuse, colin, colza, écran, églefin, faquin, frelater, godet, gredin, grue, matelot, mannequin, micmac, mitraille, pique, ruban, vacarme.*

Flamand

Le flamand (ou *vlaams*, en flamand) est un dialecte* néerlandais. Il rassemble le plus grand nombre de locuteurs aux Pays-Bas (plus de 13 millions). Il est également parlé dans les Flandres belge et française, c'est-à-dire en Belgique du Nord (6 millions de locuteurs), en France (90 000 locuteurs), par exemple dans le Westhoek (arrondissement de Dunkerque).

Malgré l'importance économique de cette région au Moyen Âge et son influence artistique et culturelle aux XIVe et XVe siècles, le flamand a laissé peu de traces dans le lexique* français. On relève quelques emprunts* : *kermesse,* au XVe siècle, des termes scientifiques, techniques, ou reflétant des réalités locales, au XVIIIe siècle.

Enfin, dans le français régional de Belgique ou du Nord, des mots comme *wassingue* (qui désigne une serpillière) ou *potiquet* (pour parler d'un petit récipient) s'implantent à partir de la fin du XIXe siècle.

65

Anglais et anglais américain

Parlé principalement au Royaume-Uni (Grande-Bretagne et Irlande du Nord) et, hors d'Europe, en Amérique du Nord (Canada et États-Unis), ainsi que dans les pays du Commonwealth (Australie, Inde, quelques pays d'Afrique, Jamaïque...), l'anglais est parlé par 322 millions de locuteurs dans le monde (troisième rang mondial).

Dans ce monde anglophone, c'est l'ensemble formé par l'**anglais britannique** et l'**anglais américain** qui a actuellement le plus d'influence sur les langues et leur lexique*.

ANGLAIS BRITANNIQUE

Peuplée vers 500 avant J.-C. par des Celtes venus de Gaule, la partie sud de l'Angleterre est rattachée à l'Empire romain en 43 après J.-C. et prend le nom de *Britania*, « Bretagne ». À la chute de l'Empire romain, elle est envahie par des peuples germaniques, les Angles, qui s'établissent au nord de l'Angleterre, les Jutes, qui investissent la partie méridionale de

66

l'île, tandis que les Saxons s'installent au sud-ouest après avoir confiné les Celtes à l'ouest. Une deuxième vague d'invasions, celle des Vikings parlant le norrois, au VIIIᵉ siècle, puis, au IXᵉ siècle, celle d'autres peuples scandinaves, achève de modeler le paysage linguistique anglo-saxon.

- L'*ancien anglais* (appelé aussi *anglo-saxon*) s'étend d'environ 700 (date des premiers textes écrits en anglo-saxon, vers 680) jusqu'au XIᵉ siècle. À l'arrivée des Normands, qui imposent leur langue (anglo-normand), l'anglo-saxon a la structure des langues germaniques.

- La période du *moyen anglais* (1100–1500) est marquée, d'une part, par l'anglo-normand, qui est la langue écrite (celle de la littérature, de l'administration, de la justice) et la langue parlée des milieux cultivés et de la cour, d'autre part, par le latin, langue de l'Église, tandis que la majorité de la population continue à parler l'anglo-saxon. Le lexique anglais fut profondément modifié par

l'apport français (français de Paris et français dialectal*). Le réseau synonymique s'enrichit d'éléments français : on relève par exemple *to catch* à côté de *to chase*, tous deux de même origine mais le premier venant du normand *cachier,* « chasser », le second du français *chasser* ; à *real* de l'anglo-normand s'ajoute *royal*, du français. L'anglais évince peu à peu l'anglo-normand. En 1362, l'anglais est la langue officielle de la justice (de fait, il ne s'imposera définitivement dans les tribunaux qu'au XVIe siècle). Un siècle plus tard, les premiers pas vers une orthographe normalisée seront réalisés. Pour former de nouveaux mots, le moyen anglais a également recours à des éléments latins et grecs, ces derniers étant introduits soit par l'intermédiaire du latin soit empruntés directement au grec.

- La période suivante, celle de l'***anglais moderne***, s'articule en deux temps qui donneront à la langue anglaise sa structure définitive.

Un premier temps (*early modern english*) qui s'étend de 1500 à 1700, correspond au mouvement de la Renaissance. La prononciation se transforme. Au niveau lexical, c'est l'emprunt* massif au grec et au latin, qui transite souvent par le français. Les grands littérateurs écrivent en anglais (c'est l'époque de Shakespeare), les écrits scientifiques sont encore rédigés en latin. Mais un changement s'amorce à la fin du XVIIe siècle : Newton rédige en 1687 ses *Principia mathematica* en latin, en 1704, il publie *Opticks* en anglais.

Un second temps (*modern english*), qui débute en 1700, voit naître les premiers essais de standardisation de l'anglais et de fixation de la langue : premières grammaires prescriptives, premiers dictionnaires. Par la suite, le développement de l'industrialisation favorise la création d'un très important vocabulaire technique et scientifique puisé la plupart du temps aux sources gréco-latines. C'est à partir du XVIIIe siècle que la

civilisation anglaise suscite l'intérêt général, surtout dans les domaines de la politique et des mœurs. L'anglais prend une place grandissante dans les échanges internationaux et devient la langue des communautés scientifique et économique. Il est renforcé par le rôle prépondérant des États-Unis et de l'anglais américain sur la scène mondiale.

ANGLAIS AMÉRICAIN

Les premiers émigrants anglais s'implantent au XVIIe siècle dans les territoires de la côte est des États-Unis (la *Nouvelle-Angleterre*) et constituent les treize colonies anglaises. Les parlers qui y sont importés sont d'une part l'anglais cultivé de Londres et d'autre part celui du sud-est de l'Angleterre. Ces variétés d'anglais, en contact avec les parlers des émigrants irlandais et ceux d'autres populations (amérindiennes, allemande, du nord de l'Europe), commencent à se différencier de l'anglais britannique. À la fin du XVIIIe et au XIXe siècle, une nouvelle vague d'émigrants en provenance du nord et de l'ouest de l'Angleterre, d'Écosse et d'Irlande, accuse encore les différences.

C'est au moment de l'Indépendance (1783, signature du traité de Versailles) que les nouveaux Américains prennent conscience de leur identité culturelle propre. L'écart entre ces deux variétés d'anglais atteint son point culminant vers le milieu du XIXe siècle. Par la suite, l'influence prépondérante des États-Unis sur la scène internationale conduit à un rapprochement de l'anglais britannique vers l'anglais américain.

69

Les écarts de l'anglais américain se situent essentiellement au niveau de la forme phonique et graphique des mots. Le lexique comporte quelques particularités dues à l'apport des langues en contact sur le sol américain et à la plus grande créativité lexicale qui n'est pas freinée par une norme linguistique rigide. Néanmoins, c'est aussi et surtout dans le latin et le grec que l'anglais américain va puiser pour forger le vocabulaire scientifique et technique qui s'impose au reste de la communauté scientifique et économique.

L'anglais, langue du Royaume-Uni, du Commonwealth et des États-Unis, a fourni directement au français un grand nombre de mots ou d'expressions.
L'anglais emprunte abondamment au français jusqu'au XIVe siècle, puis de moins en moins jusqu'au XVIIIe siècle. Le XVIIe siècle marque l'équilibre avec des emprunts réciproques des deux langues. Au XVIIIe siècle, ce sont plutôt des mots du domaine de la politique, de l'économie et des mœurs que le français emprunte.

Attraction, baromètre, colonisation, désappointé, électrique, exportation, franc-maçon, humour, importation, législature, loyaliste, meeting, officiel, partenaire, paquebot, politicien, pression, romantique, sentimental, spleen, verdict.

Le mouvement s'amplifie au XIXᵉ siècle avec les emprunts à l'anglais américain.

Aux nombreux calques* formels et sémantiques, aux très nombreux emprunts du vocabulaire des sciences et des techniques – souvent discrets, puisque ces mots sont formés d'éléments latins et grecs –, s'ajoutent des mots plus marqués, en particulier dans le vocabulaire des sports (hippisme, golf, football, tennis) ou des chemins de fer.

Des expressions sont également empruntées à l'anglais : *ce n'est pas ma tasse de thé, donner le feu vert, la cerise sur le gâteau.*

D'autres emprunts reflètent des réalités anglo-saxonnes ou américaines (*steak, hamburger, western, cow-boy, gangster*). Parmi les emprunts récents, on relève un nombre accru de sigles (*ASCII, bit, GPS, GSM, HTML, laser, radar, sonar*).

L'afflux d'anglicismes en français de France et en français du Canada (en général dans les pays de la francophonie) a incité ces États à créer des Offices de la langue française chargés de réagir face aux anglicismes qui tentent de s'implanter. Les commissions de terminologie proposent alors des recommandations officielles, comme *causette* pour traduire l'anglicisme *chat*, du vocabulaire de l'Internet. L'anglais a également accueilli puis transmis en français des mots venus d'ailleurs.

D'Inde : *baba* (« marginal »), *bungalow, coolie, kaki, punch, pyjama, sati, shampooing* ; de Malaisie : *mangrove* ; de Chine : *ketchup, kumquat, souchong* ; des Maldives : *atoll* ; de Polynésie : *tabou, tatouer* ; d'Australie : *boomerang, kangourou, wallaby* ; de l'espagnol d'Amérique : *lasso, marijuana* ; des langues amérindiennes d'Amérique du Nord : *mocassin, pécan, tipi, totem, tomahawk, squaw, wapiti.*

71

Langues celtiques

La présence des Celtes en Europe occidentale est attestée depuis le premier millénaire avant Jésus-Christ. Leur territoire s'étendait, d'un côté, du nord de la Grande-Bretagne au nord de la Grèce et, de l'autre, de l'Espagne au nord de l'Italie en passant par la Suisse, l'Allemagne, la Belgique et la France.

Les langues celtiques rassemblent aujourd'hui près de 2 millions de locuteurs en France (breton), en Grande-Bretagne (gallois, écossais) et en Irlande (irlandais). Elles se divisent en trois groupes :

- le gaulois ;
- le brittonique, qui comprend le breton, le gallois parlé dans le pays de Galles par environ 600 000 locuteurs, et le cornique, parlé en Cornouailles (qui ne comptait plus que 150 locuteurs en 1990),
- le gaélique, qui rassemble l'irlandais, parlé par 250 000 locuteurs, l'écossais, parlé par environ 100 000 locuteurs, et le mannois, qui, parlé dans l'île de Man par moins de 1 000 personnes, est en voie d'extinction.

Le gaélique, surtout connu par l'irlandais, est attesté par des gloses* oghamiques* trouvées en Irlande et remontant au Ve siècle.

Au nord du domaine du celtique insulaire (brittonique et gaélique), les invasions germaniques des Angles et des Saxons réduisent le territoire des Celtes gallois à l'ouest de l'actuelle Grande-Bretagne. Les Celtes gallois, s'alliant avec les Celtes irlandais, s'opposent aux invasions. Mais la conquête normande, au XIᵉ siècle, puis le rattachement à l'Angleterre, au XIIIᵉ siècle, porteront un coup décisif au gallois.

Des Celtes, venus d'Irlande au VIᵉ siècle de notre ère, s'installent en Écosse ; le gaélique irlandais qu'ils parlent alors évolue pour devenir, au Moyen Âge, l'écossais. Au XIVᵉ siècle, l'Écosse est assujettie à l'Angleterre et le gaélique écossais perd de plus en plus de terrain face à l'anglais.

L'Irlande, occupée par les Celtes depuis environ 350 avant J.-C., est d'abord envahie par les Vikings au XIᵉ siècle, puis par les Normands au XIIᵉ siècle et enfin par les Anglais au XVIᵉ siècle. Depuis cette époque, l'irlandais ne cesse de reculer devant l'anglais jusqu'au milieu du XXᵉ siècle, avant de regagner du terrain.

Aujourd'hui, l'irlandais est la langue maternelle de seulement 3 % de la population. Alors que le gaélique irlandais est une langue minoritaire en

Irlande du Nord, il est, avec l'anglais, la langue officielle de la république d'Irlande.

Au sud du domaine, cette famille est représentée par le breton.

Le celtique continental est le domaine du gaulois. Au Vᵉ siècle avant J.-C., les Celtes s'installent en Gaule. Ils se mêlent par ailleurs aux Ibères en Espagne, marquant profondément la culture de la Galice.

L'apport des langues celtiques, mis à part le gaulois, est peu représentatif de l'influence de ces peuples sur notre culture et notre civilisation.

- Le celtique a fourni à date ancienne au français, souvent par l'intermédiaire du latin, quelques mots du langage courant comme *auvent*, *beigne*, *changer*, *cloche*, *dégoter* ou *lance*.
- Les autres langues (irlandais, écossais, gallois) ont fourni au français, dans la plupart des cas par l'intermédiaire de l'anglais, des termes concernant essentiellement la culture et la civilisation celtes, comme *cairn*, *cromlech*, ou *galgal*, mais aussi des termes référant, à l'origine, à des réalités locales qui connaîtront, à partir du XVIIIᵉ siècle, une vaste diffusion, comme *clan*, *jockey*, *slogan*, *raid* ou *whisky*.

M O R   B R E I Z H

Breton

Langue celtique insulaire, le breton résulte de la langue importée par des émigrants celtes brittoniques venus de l'actuelle Grande-Bretagne, qui s'implantèrent en Armorique entre le Vᵉ et le VIIᵉ siècle.

L'entité politique qu'est la Bretagne, devenue duché au XIIᵉ siècle puis province au XVIᵉ siècle après son rattachement à la couronne de France, ne correspond pas à une entité linguistique, puisque la partie orientale est de langue romane, et la partie occidentale, de langue bretonne. Aujourd'hui, la distinction est faite entre Bretagne bretonnante (haute Bretagne) et Bretagne romane (basse Bretagne).

Langue de tradition orale (la tradition écrite apparaît au XVIᵉ siècle), le breton s'est divisé en quatre dialectes* principaux : le vannetais, le léonais, le trégorrois et le cornouaillais. L'existence de dialectes a poussé à l'unification et à la normalisation d'une langue bretonne : le K.L.T. (Kerneo-Léon-Trégor ; le vannetais qui présente trop de particularités en est exclu).

Parlé en Bretagne (dans les départements du Finistère, des Côtes-d'Armor et du Morbihan) par 240 000 locuteurs, le breton est compris par quatre fois plus de personnes.

Le breton a donné au français des mots désignant :
- des réalités géographiques ou culturelles : *menhir, dolmen, biniou* ;
- des noms d'animaux marins ou d'oiseaux : *bernique, goéland* ;
- mais aussi *bijou* (du breton *bizou*, « anneau pour le doigt », lui-même dérivé du mot celtique *biz*, « doigt »).

Gaulois

Le gaulois était la langue parlée en Gaule du VIᵉ siècle avant J.-C. au Vᵉ siècle de notre ère.

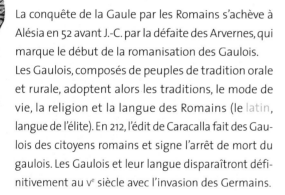

La conquête de la Gaule par les Romains s'achève à Alésia en 52 avant J.-C. par la défaite des Arvernes, qui marque le début de la romanisation des Gaulois. Les Gaulois, composés de peuples de tradition orale et rurale, adoptent alors les traditions, le mode de vie, la religion et la langue des Romains (le latin, langue de l'élite). En 212, l'édit de Caracalla fait des Gaulois des citoyens romains et signe l'arrêt de mort du gaulois. Les Gaulois et leur langue disparaîtront définitivement au Vᵉ siècle avec l'invasion des Germains.

La toponymie* permet de retracer l'implantation des Gaulois en Gaule. Ainsi, le suffixe - *ac* qui marque l'appartenance est fréquent dans les noms de lieux au sud de la Loire (*Moissac*). De même, on retrouve l'élément –*dunum*, du gaulois °*duno* signifiant « hauteur » (comme dans *Verdun* ou dans *lugdunum* « Lyon »).

Mais l'apport du gaulois au français concerne également le lexique*.
Par l'intermédiaire du latin, il a notamment transmis des mots qui se rapportent à des traditions ou à des réalités inconnues des Romains (*chemise, cervoise, druide, barde*...). Habiles constructeurs de voitures et agriculteurs expérimentés, les Gaulois ont également fourni aux Romains des mots qui ont donné en français *arpent, charrue, cheval, lieue, talus*...
Le gaulois a aussi transmis directement au français 180 mots issus de la cellule familiale et des campagnes, derniers lieux de résistance au latin (*bouc, chemin, crème, glaise, glaner, mouton, sapin, tanière, tonneau*...).

77

Langues slaves

Le groupe des langues slaves est, par son nombre de locuteurs, le plus important d'Europe, puisqu'il regroupe près de 315 millions de personnes. L'aire que recouvrent ces langues s'étend, du nord au sud, de l'extrême nord de la Russie à la mer Noire jusqu'en Macédoine.

D'est en ouest, on les trouve des monts Oural jusqu'aux Balkans, en passant par la Pologne et la République tchèque. Sur ce territoire, la Roumanie constitue une enclave de langue romane, mais les langues slaves ont cependant fortement influencé le roumain.

Les langues slaves recourent aux écritures cyrillique[1] (russe, ukrainien, biélorusse, bulgare, macédonien) et latine (slovène, tchèque, slovaque, polonais),

en fonction de leur appartenance religieuse (schisme d'Orient).
Elles sont réparties entre trois branches.

- La **branche méridionale** est la plus anciennement attestée avec le slavon, langue religieuse et littéraire disparue. Cette branche comprend :
- Le *slovène*, qui est parlé par plus de 2 millions de locuteurs, principalement en Slovénie, l'est aussi dans les régions frontalières de l'Italie et de l'Autriche.
- Le *serbo-croate* regroupe 21 millions de locuteurs, notamment en Yougoslavie (10 millions au Monténégro et en Serbie), en Croatie (près de 5 millions) et en Bosnie (4 millions). Le serbo-croate est appelé, selon l'appartenance nationale des locuteurs, *serbe*, *croate* ou *bosnien*, et est écrit,

(1) Alphabet slave attribué à saint Cyrille de Salonique.

selon l'appartenance religieuse, en écriture cyrillique (Serbes et Monténégrins de l'actuelle Yougoslavie) ou en écriture latine (Croates et Bosniens). Le *chtokavien*, dialecte* du centre du domaine, sert de base à la langue littéraire serbo-croate, qui a été, jusqu'au XVIIe siècle, le slavon.

- Le *bulgare* est parlé par 9 millions de locuteurs, principalement en Bulgarie, où il est la langue nationale. Le *vieux bulgare* (IXe-XIe siècle) est identique à la langue des Macédoniens du Xe siècle et se confond avec le slavon.

- Le *macédonien* est très proche du bulgare puisqu'il en est l'ancêtre. Il est parlé en Macédoine par près de 1,5 million de locuteurs et comprend trois groupes de dialectes. C'est le groupe occidental, très éloigné linguistiquement du bulgare et du serbo-croate, qui a été choisi pour servir de base au macédonien standardisé, langue officielle de la république de Macédoine. L'alphabet cyrillique a été développé à partir du dialecte macédonien du Xe siècle, parlé dans l'est de la Bulgarie.

• La **branche occidentale** regroupe le *tchèque* (parlé par la majorité de la population de la République tchèque, soit plus de 10 millions de locuteurs) et le *slovaque*, qui est la langue officielle de Slovaquie parlée par environ 5 millions de locuteurs. La langue écrite, basée sur le dialecte du centre du pays (celui de la région de Bratislava), n'a été uniformisée et standardisée que vers le milieu du XIXe siècle.

79

• La **branche orientale** regroupe quant à elle le russe, le *biélorusse* et l'*ukrainien*. Le biélorusse est parlé en Biélorussie (langue nationale de 8 millions de personnes) et en Pologne (200 000 locuteurs). L'*ukrainien* est parlé par plus de 40 millions de locuteurs (près de 30 millions en Ukraine). Ces langues forment un continuum* du nord au sud du domaine, le biélorusse servant de transition entre le russe et l'ukrainien, les dialectes du Nord étant proches du russe, et ceux du Sud, proches de l'ukrainien.

Hormis le polonais, le russe et le tchèque, l'apport des langues slaves au français se limite à quelques mots désignant des réalités historiques (*bogomile*, *hetman* ou *hospodar*). D'autres mots bien implantés en français concernent des réalités qui évoquent les pays slaves, comme *zibeline* transmis par l'italien. *Vampire*, quant à lui, évoque la Roumanie, mais le mot, introduit en français par l'intermédiaire de l'allemand, est d'origine slave.

Russe

Le russe a été la langue véhiculaire* – et la seconde langue obligatoire – de toutes les républiques soviétiques et de tous les pays sous domination de l'U.R.S.S. Le russe est parlé par 153 millions de Russes. Il est la langue officielle de la Russie.

Le russe comprend trois groupes de dialectes*.

- **Le groupe septentrional** recouvre la région qui s'étend de Saint-Pétersbourg, à l'est, jusqu'à la frange occidentale de la Sibérie.
- **Le groupe méridional** recouvre la majeure partie du centre et du sud de la Russie.
- **Le groupe central** recouvre la région moscovite. Les parlers de ce groupe présentent le système consonantique* du groupe septentrional et le système vocalique* du groupe méridional.

(1) Alphabet slave attribué à saint Cyrille de Salonique.

Le russe a été très fortement influencé par le slavon dont il tente de se détacher dès le XIIIe siècle. Une dichotomie s'installe alors peu à peu jusqu'au XVe siècle entre, d'une part, le slavon et, d'autre part, le russe. Le slavon, qui est la langue littéraire et religieuse, transcrite en caractères cyrilliques[(1)], restera la langue écrite jusqu'à la fin du XVIIe siècle. Le russe, qui est la langue orale, est

également la langue de l'Administration et de la justice. Il sera utilisé à partir du XVIe siècle comme langue de l'Empire.

Au XVe siècle, la Moscovie occupe une place prépondérante en Russie. Même lorsque la capitale de l'Empire russe est transférée à Saint-Pétersbourg par Pierre le Grand en 1715, Moscou demeure la capitale religieuse de l'Empire et les tsars y sont couronnés. Soumis à cette influence, le russe s'imprègne de plus en plus d'éléments moscovites.

Sous l'impulsion de Pierre le Grand, la Russie s'ouvre à la civilisation et à la culture occidentales. La langue russe, chargée de très nombreux éléments slavons et, en moindre part, moscovites, emprunte massivement aux langues occidentales (français, allemand, anglais) pour nommer les nouveaux concepts liés aux techniques, aux sciences, à la politique et à la culture que Pierre le Grand introduit en Russie.

Cette nouvelle étape dans l'évolution du russe sera marquée par Lomonossov (XVIII[e]s.), fondateur de l'université de Moscou. Considéré comme le père de la littérature russe moderne, il propose une distinction entre les styles élevé, moyen et bas.
Le style élevé résulte de l'emploi d'un lexique* commun au slavon et au russe moderne ; il en découle le russe littéraire.
La distinction entre style moyen et bas résulte de l'emploi soit, d'un côté, d'un lexique exclusivement slavon, soit, de l'autre, d'un lexique exclusivement russe.
Les principes stylistiques de Lomonossov seront appliqués par Karamzine qui sera le premier à écrire en russe littéraire moderne et non en slavon. Il sera suivi par des auteurs de renommée mondiale comme Pouchkine ou Tourgueniev, puis par des auteurs réalistes comme Gogol ou encore Dostoïevski. C'est en même temps l'époque où le russe standard se fixe, basé sur le parler moscovite.

блин со смета́ной   кра́сная икра́   сок
зелёный лук со смета́ной

Les emprunts* du français au russe désignent souvent des réalités russes concernant le domaine de la gestion administrative et politique de la Russie, aussi bien du temps des tsars que sous le régime soviétique. Une autre série d'emprunts concernent les particularités géographiques et de la vie quotidienne. Quelques emprunts du français au russe passent inaperçus parce qu'il s'agit de calques* ou de traductions. Ce sont des syntagmes* comme *culte de la personnalité* ou *réflexe conditionné*, ou encore des sens particuliers (*nihilisme* ou *révisionnisme*).

Apparatchik, bélouga, blinis, bolchevik, bortsch, chapka, datcha, glasnost, goulag, icône, intelligentsia, isba, kolkhoze, koulak, koulibiac, moujik, nomenklatura, osciètre, oukase, perestroïka, pirojki, raspoutitsa, refuznik, samovar, sterlet, taïga, touloupe, toundra, troïka, vodka, yourte, zakouski. Le mot *caviar*, qui évoque la Russie, est pourtant d'origine turque.

Polonais

Les premiers témoignages de polonais (quelques mots) se trouvent dans des textes latins du XIIe siècle. Ce n'est qu'au XIVe siècle qu'un texte est entièrement écrit en polonais. Le latin reste essentiellement la langue écrite jusqu'au XVIe siècle, c'est la langue de l'administration, de la diplomatie et des sciences (Copernic écrit en latin son fameux traité sur les corps célestes).

Au cours du XVIe siècle seulement, une langue polonaise littéraire uniformisée, écrite en alphabet latin, émerge de la richesse des dialectes* (de la Grande-Pologne, de Poméranie, de Silésie, de la Petite-Pologne et de la Mazovie). Elle est basée, à l'origine, sur le dialecte de Grande-Pologne, celui de la région de Poznan. Avec le déplacement de la capitale, de Cracovie à Varsovie, elle est influencée par le dialecte mazovien. Elle est la langue d'une très riche littérature qui dépasse largement les frontières de la Pologne, avec par exemple Niemcewicz, Mickiewicz, Sienkiewicz ou Milosz. L'écrivain polonais Jan Potocki, au début du XIXe siècle, écrit en français, la France et la Pologne ayant eu et ayant encore des contacts étroits.

Jusqu'au XVIIIe siècle, le polonais évolue en s'enrichissant de nouveaux mots empruntés à l'italien (à la Renaissance) et au français (dès le XVIIIe). Les premières grammaires en polonais et les premiers dictionnaires paraissent, comme

le *Dictionnaire polonois, allemand et françois* de Trotz, publié à Leipzig en 1764.

Les partages de la Pologne mettent un frein à cette lancée. La langue est influencée par l'allemand (avec la Prusse et l'Autriche) et le russe (avec la Russie). Après l'indépendance de la Pologne (1918), il faut réunifier cette langue éclatée, en particulier dans le lexique*.

Aujourd'hui, comme toutes les langues européennes, le polonais, uniformisé entre les deux guerres, est influencé par l'anglais. La langue parlée, quant à elle, présente la particularité de posséder des nasales*, ce qui la distingue des autres langues slaves.

Le polonais est parlé notamment en Pologne où il est la langue nationale (plus de 36 millions de locuteurs, soit 98 % de la population). On compte également une importante communauté polonaise aux États-Unis qui regroupe un million de personnes.

Le français a peu emprunté au polonais, en regard des relations étroites que les deux pays ont toujours entretenues. En fait, c'est surtout le polonais qui a emprunté au français.
L'apport du polonais au français a eu lieu principalement au XVIIIe siècle, avec des mots comme *baba* (« gâteau »), *magnat*, *cravache*, ou encore *uhlan*, transmis par l'allemand. L'introduction en français du mot *mazurka*, qui désigne cette danse polonaise exaltée par Chopin, précède de peu l'arrivée du compositeur en France.

Il existe, à côté de la famille indo-européenne, 7 autres grandes familles de langues : la famille chamito-sémitique, la famille des langues africaines, le groupe finno-ougrien, la famille des langues malayo-polynésiennes, la famille des langues tonales d'Asie, la famille altaïque, et enfin celle des langues amérindiennes.

Famille chamito-sémitique

Les langues chamito-sémitiques regroupent 370 langues et sont parlées sur un vaste territoire allant du nord de l'Afrique aux frontières de l'Iran.

Les langues de cette famille sont parlées par environ 300 millions de personnes dans le monde, dont 200 millions de locuteurs pour l'arabe. C'est l'une des familles les plus importantes par sa distribution géographique, par le nombre de locuteurs et par l'histoire de ces langues. Elle est répartie en six groupes de langues :

- le groupe *chamite* (du nom de *Cham*, fils de Noé), qui comprend l'égyptien ;

- le groupe *sémitique* (du nom de *Sem*, fils de Noé), qui comprend 73 langues (arabe, araméen, amharique, hébreu...), dont certaines sont disparues (akkadien) ;
- le groupe *berbère* regroupe 30 langues (kabyle, touareg, tamazight...) et 200 millions de locuteurs ;
- le groupe *tchadique*, qui comprend les langues parlées autour du lac Tchad (environ 200 langues) ;
- le groupe *couchitique* (du nom de *Koush*, fils de Cham), qui comprend environ 50 langues, dont le *somali*, langue officielle de la Somalie (plus de 8 millions de locuteurs) ;
- le groupe *omotique*, qui compte un ensemble de langues parlées par plus de 5 millions de locuteurs dans le bassin du fleuve Omo, en Éthiopie.

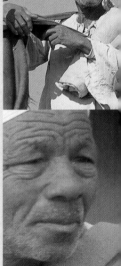

Langues africaines

On dénombrait en 1996 sur le continent africain 2 011 langues différentes (y compris les langues chamito-sémitiques), dont pas moins de 470 dans le seul État du Nigeria, 279 au Cameroun ou 132 au Soudan.

Les principales familles de langues africaines sont :
- la famille nigéro-congolaise (environ 900 langues et 80 millions de locuteurs), qui recouvre une aire bordée au nord par les langues *chamito-sémitiques* (ou *afro-asiatiques*) et au sud par les langues *bantoues*. Elle comprend par exemple :
  - le groupe *ouest-atlantique* d'Afrique occidentale (quelques centaines de langues dont le *wolof* et le *peul* avec 17 millions de locuteurs), d'une part, et les langues *mandingues* (15 millions de locuteurs), auquel appartiennent le *malinké*, le *bambara* et le *mandé*, d'autre part ;
  - le groupe *kwa*, qui compte 32 millions de locuteurs. Il est le plus important de cette famille et comprend le *yoruba*, l'*éwé*, le *fon*, parlé au Bénin, l'*akan* au Ghana ou le *baoulé* en Côte d'Ivoire ;
- la petite famille *nigéro-kordofanienne* (une trentaine de langues pour 100 000 locuteurs), qui est presque exclusivement soudanaise ;
- la famille nilo-saharienne ou *nilotique* (26 millions de locuteurs), qui s'étend d'Assouan au centre du Kenya et comprend une centaine de langues, dont le *dinka*, parlé au Soudan ;
- la famille bantoue, qui regroupe environ 600 langues parlées par 100 millions de locuteurs ;
- la famille khoïsane, à l'extrême sud de l'Afrique, qui est enclavée dans l'aire bantoue. Elle comprend quatre langues parlées par environ 150 000 locuteurs, dont le *hottentot* et le *bochiman*.

Les langues africaines ont apporté au lexique* français un petit stock de mots désignant des réalités indigènes.

87

Groupe finno-ougrien

Le groupe finno-ougrien forme, avec le groupe samoyède[(1)], la famille ouralienne.

L'aire que recouvrent ces langues est discontinue puisqu'elle couvre, d'une part, au nord, la Finlande, la Laponie, la Carélie ainsi qu'une partie de la côte balte (Estonie), et, d'autre part, au sud, la Hongrie.

Les langues finno-ougriennes sont parlées par environ 25 millions de locuteurs et sont les seules langues non indo-européennes parlées en Europe, avec le basque. Ce groupe de langues est réparti en deux sous-groupes :

- le *sous-groupe finnois* ou *balto-finnois*, qui comprend :
- le *finnois* proprement dit, langue officielle de la Finlande, parlée par près de 5 millions de Finlandais ;
- le *lapon*, au nord de la Finlande, parlé par près de 7 000 Lapons ;
- l'*estonien*, langue officielle de l'Estonie, parlé par un peu moins d'un million de personnes, soit environ 60 % de la population ;
- le *carélien*, parlé en Carélie par quelque 120 000 locuteurs ;
- le *sous-groupe hongrois*, avec :
- le *hongrois* proprement dit ;
- les langues *ob-ougriennes* comme l'*ostiak* et le *vogoul*.

Les langues de ce groupe n'ont fourni que quelques rares mots au français, dont *coche*, *goulache*, *hussard*, *paprika* (hongrois), *morse*, *toundra* (ce dernier d'origine lapone) ou *sauna* (d'origine finnoise).

(1) Les langues samoyèdes, qui sont essentiellement des langues sibériennes, ont disparu ou sont en voie de disparition, excepté le *nenets*, parlé par plus de 25 000 personnes au nord-ouest de la Sibérie, et le *selkoup*, parlé par moins de 2 000 locuteurs dans la région de Tomsk, en Russie.

Langues malayo-polynésiennes

Les langues malayo-polynésiennes comptent près de 300 millions de locuteurs parlant environ 850 langues. Elles recouvrent une aire de très vaste extension : Madagascar, Indonésie, Mélanésie (dont la Nouvelle-Calédonie), Micronésie, Polynésie (dont les îles de Wallis-et-Futuna et de Tahiti), etc.

Les langues malayo-polynésiennes se divisent en trois sous-groupes :

- le *malayo-polynésien occidental* ou *indonésien*, qui compte à lui seul 265 millions de locuteurs, avec par exemple le *malais*, le *javanais*, le *tagalog* parlé aux Philippines, le *malgache* ou encore le *cham*, parlé surtout en Thaïlande mais aussi en partie au Vietnam et au Cambodge ;
- le *malayo-polynésien central*, avec 120 langues parlées en Indonésie mais surtout aux Moluques ;

- le *malayo-polynésien oriental* qui comprend :
- un ensemble océanien d'environ 500 langues, qui compte les groupes *mélanésiens* (dont les langues autochtones de la Nouvelle-Calédonie), *polynésiens* (environ 450 langues dont *wallisien*, *le futunien*, *le tahitien*, *le maori*, *l'hawaïen*) et *micronésiens* ;
- un ensemble d'une cinquantaine de langues parlées au sud d'Halmahera (Moluques) et à l'ouest de la Nouvelle-Guinée, île où dominent toutefois les langues papoues.

Le français a emprunté un nombre relativement important de mots au malais (dès le XVIᵉ siècle). Parmi ceux-ci, un certain nombre ont été transmis par les traductions en latin ou en français de récits de voyage portugais, le Portugal s'étant emparé de la Malaisie en 1511. Quelques autres nous sont parvenus par le néerlandais, les Hollandais ayant supplanté les Portugais en 1641 (*bambou*, *casoar*, *gong*, *kanak*, *mandarin*, *pagaie*, *pangolin*).

Langues tonales d'Asie

Les langues tonales d'Asie appartiennent à deux familles de langues distinctes : la famille sino-tibétaine et la famille austro-asiatique. Le nombre de tons (de trois à six, en moyenne) peut varier non seulement d'une langue à l'autre mais aussi d'un dialecte* à l'autre.

La famille sino-tibétaine comprend entre autres langues le *chinois*. C'est la deuxième famille la plus importante après la famille indo-européenne, puisqu'elle regroupe plus d'un milliard et demi de locuteurs. Les langues de cette famille sont des langues à tons. L'aire que recouvrent ces langues est très homogène ; elle est en effet limitée à l'Asie du Sud-Est.

La famille sino-tibétaine (110 millions de locuteurs sans compter le chinois) se divise en quatre groupes :

- le groupe *chinois* ;
- le groupe *tibéto-birman* (345 langues), avec la branche tibétaine et la branche birmane ;
- le groupe *kadai*, avec le *thaï* ou encore le *laotien* ou *lao* ;
- le groupe *miao-yao*.

La famille austro-asiatique comprend deux groupes de langues comptant environ 180 langues parlées par 80 millions de locuteurs :
- le groupe *môn-khmer* :
- le *khmer* au Cambodge, parlé par près de 7 millions de locuteurs ;
- le *vietnamien* (seule langue à tons de ce groupe) ;
- quelques langues du Laos et du nord du Myanmar (ex-Birmanie) ;
- le groupe *munda*, avec quelques langues parlées en Inde.

Famille altaïque

La famille altaïque comprend 65 langues parlées par 100 millions de personnes. Elle recouvre la majeure partie de la Sibérie jusqu'en Mongolie et s'étend, au sud-ouest, jusqu'à la Turquie et, au centre-est, jusqu'en Corée et au Japon.

Cette famille est répartie en trois groupes.

* *Le groupe des langues turques,* qui comprend le *turc* proprement dit, et parmi lesquelles on compte, entre autres :
- l'*ouzbek* (plus de 18 millions de locuteurs, principalement en Ouzbékistan mais aussi au Tadjikistan) ;
- le *kazakh* (8 millions de locuteurs au Kazakhstan) ;
- l'*azéri* (7 millions de locuteurs en Azerbaïdjan et en Arménie) ;
- l'*ouïgour* (7 millions de locuteurs au Xinjiang) ;
- le *tatar* (6 millions de locuteurs en Russie) ;
- le *turkmène* (plus de 5 millions de locuteurs, principalement au Turkménistan) ;
- le *kirghiz* (près de 3 millions de locuteurs au Kirghizstan) ;

* *Le groupe des langues mongoles,* qui comprend principalement le *mongol* ou *khalkha*, langue officielle de la république de Mongolie, parlé aussi en Chine, en Mongolie-Intérieure. Le nombre de mongolophones atteint les 6 millions.
Cette langue connaît une très grande extension au XIIIᵉ siècle avec Gengis Khan qui se rend maître de la Chine puis, du XVIᵉ au XIXᵉ siècle, avec les Grands Moghols, qui fondent un empire s'étendant jusqu'au nord de l'Inde (1526-1858).

* *Le groupe toungouze,* dont le *mandchou* parlé en Chine, langue en voie d'extinction (on comptait à peine mille locuteurs en 1990). Du XVIIᵉ au début du XXᵉ siècle, c'est une dynastie d'origine mandchoue, les Qing, qui règne sur la Chine ; la langue officielle est alors le mandchou, qui sert de langue véhiculaire* entre ce pays et l'Occident.

91

Langues amérindiennes

Les langues amérindiennes sont les langues parlées par les populations autochtones du continent américain (Indiens et Inuits du Groenland et d'Amérique du Nord). Cet ensemble regroupe 1100 langues parlées par 25 millions de locuteurs.

Beaucoup de ces langues autochtones sont en voie d'extinction, menacées par les langues nationales (espagnol en Amérique du Sud ou anglais aux États-Unis et en Amérique du Nord). D'autres, en revanche, ont plus de chances de survie car elles sont devenues langues officielles régionales, comme le *quechua* et l'*aymara* au Pérou, à côté de l'espagnol, ou langue officielle, comme, au Groenland, le *groenlandais* ou *kalaallisut*, à côté du danois.

On dénombre environ 85 familles de langues amérindiennes en Amérique latine (y compris le Mexique, 938 langues), parlées par 25 millions de personnes. Ces langues (le *tupi-guarani*, le *nahuatl*, le *quechua* et le *caraïbe*) ont fourni au lexique* français, dès le XVIᵉ siècle, nombre de mots empruntés soit directement soit par l'intermédiaire de l'espagnol, du portugais et parfois de l'anglais.

Alpaga, avocat, barbecue, cacahouète, cacao, caïman, canot, chocolat, cobaye, lama, papaye, pétun, patate, piranha, pirogue, tapioca, tomate, vigogne, curare, boucan, qui a donné *boucanier* et *boucaner*.

Pour les **langues amérindiennes d'Amérique du Nord** (hors Mexique), on dénombre environ 200 langues parlées par 500 000 locuteurs (mais seule une dizaine de ces langues compte plus de 10 000 locuteurs). Ces langues appartiennent pour la plupart aux cinq familles suivantes :

- la famille *eskimo-aléoute* avec, d'une part, le groupe *eskimo* comprenant le *yupik* et l'*inuit*, et, d'autre part, l'*aléoute* des îles Aléoutiennes (Alaska) ;
- la famille *iroquoise* ;
- la famille *algonquine* ;
- la famille *na-dene* (ou *dénée*) en Alaska, au nord-ouest du Canada et le long de la côte Pacifique aux États-Unis ;
- la famille *wakashane* (côte pacifique) avec, par exemple, le *nootka*.

Les langues amérindiennes ont, par ailleurs, donné naissance à un pidgin*, aujourd'hui presque éteint.

Ces langues amérindiennes ont influencé, dans le lexique avant tout, les usages régionaux du français du Canada. C'est la plupart du temps par le biais de celui-ci, mais aussi par celui de l'anglais, que le français de France compte quelques mots d'origine algonquine, apparus dès le XVIIe siècle. Ces emprunts*

renvoient à des réalités indigènes de plus ou moins vaste extension.

Squaw, tomahawk, totem ou *mocassin, tabagie, toboggan.*

93

On trouve, à côté des 8 grandes familles de langues, des isolats linguistiques. Il s'ag
de langues isolées qu'on ne peut rattacher à aucune famille, comme le basque par exemple.

Basque

Le basque présente la particularité d'être non seulement une langue non romane – alors qu'elle est environnée par des langues romanes comme le français et l'espagnol – mais aussi une langue non indo-européenne. L'origine de cette langue est controversée ; l'hypothèse la plus probante retenue actuellement est qu'elle se rattacherait à la famille des langues caucasiennes avec lesquelles elle présente de nombreuses similitudes. Le basque n'en reste pas moins un isolat linguistique, actuellement parlé par un peu moins d'un million de personnes. L'aire géographique du basque coïncide aujourd'hui avec celle du Pays basque français et espagnol.

L'*euskara* (en basque espagnol) ou l'*eskuara* (en basque français) comprend plusieurs dialectes* propres à chaque province (le *biscayen*, le *guipuzcoan*, le *haut-navarrais* du côté espagnol et, du côté français, le *bas-navarrais*, le *labourdin* et le *souletin*, très différent des autres dialectes).
Du fait de la diversité de ces dialectes, du choix du *labourdin* comme langue de référence pour le basque écrit en Espagne, l'*euskara batua*, un « basque unifié », langue commune à toutes les provinces, s'implante de part et d'autre des Pyrénées.

Les basques sont présents dès le IIe millénaire avant notre ère en Europe occidentale (avant les indo-européens) et leur langue est parlée sans interruption de ses origines à l'époque actuelle. Mais curieusement, le basque n'a laissé que très peu de traces dans le lexique* français (*bagarre* par exemple), un peu plus en revanche dans celui des dialectes voisins (gascon et béarnais).

Lexique

adstrat n. m. *Linguistique* Ensemble de faits linguistiques concordants apparaissant sur un territoire dans plusieurs systèmes linguistiques, et correspondant à des échanges d'influences.

agglutinant, ante adj. *Linguistique* Fondé sur l'agglutination, c'est-à-dire sur l'addition d'affixes aux mots-bases, exprimant des rapports grammaticaux. *Langues agglutinantes.*

anthroponymie n. f. *Linguistique* Partie de l'onomastique qui étudie les noms de personnes.

attestation n. f. *Linguistique* Fragment de texte qui atteste l'usage (d'une forme lexicale).

calque n. m. *Linguistique* Traduction littérale (d'une expression complexe ou d'un mot en emploi figuré) dans une autre langue. « Lune de miel » et « gratte-ciel » sont des calques de l'anglais « honeymoon » et « skyscraper ». *Le calque est un type d'emprunt.*

consonantique adj. *Phonétique* Des consonnes. *Système consonantique* (opposé à *vocalique*).

continuum n. m. *Didactique* Objet ou phénomène progressif dont on ne peut considérer une partie que par abstraction. *Des continuums.*

créole n. m. *Linguistique* Système linguistique mixte provenant du contact du français, de l'espagnol, du portugais, de l'anglais, du néerlandais avec des langues indigènes ou importées (Antilles) et devenu langue maternelle d'une communauté. *Créole, pidgin, sabir. Le créole d'Haïti, de la Guadeloupe, de la Martinique, de la Réunion, à base française. Les créoles anglais de la Jamaïque, de la Barbade. Créole portugais de Guinée-Bissau.*

dialectal, ale, aux adj. D'un dialecte. *Variantes dialectales d'un mot. Délimitation d'aires dialectales. Particularité dialectale.* => régionalisme (on dit aussi DIALECTALISME n. m.).

dialecte n. m. Forme régionale d'une langue considérée comme un système linguistique en soi. Système linguistique qui n'a pas le statut de la langue officielle ou nationale, à l'intérieur d'un groupe de parlers.

didactique adj. Qui appartient à l'usage des sciences et des techniques, à une langue de spécialité. *Terme didactique*, inusité dans la langue courante.

doublet n. m. *Linguistique* Chacun des deux mots issus d'un même étymon, dont généralement l'un est entré dans la langue par voie populaire (ex. : frêle, hôtel, écouter) et l'autre par voie savante (ex. : fragile, hôpital, ausculter).

emprunt n. m. *Linguistique* Acte par lequel une langue accueille un élément d'une autre langue ; élément (mot, tour) ainsi incorporé. *Emprunts à l'anglais.* => anglicisme ; aussi *américanisme, canadianisme, germanisme, hispanisme, italianisme, latinisme. Emprunt assimilé, francisé, traduit.* => calque.

étymon n. m. *Linguistique* Mot attesté ou reconstitué, qui donne l'étymologie d'un autre mot. *Étymon latin, grec.*

glose n. f. Annotation entre les lignes ou en marge d'un texte, pour expliquer un mot difficile, éclaircir un passage obscur.

idiome n. m. *Linguistique* Ensemble des moyens d'expression d'une communauté correspondant à un mode de pensée spécifique. – Parler propre à une région. => dialecte, patois.

inscription n. f. Ensemble de caractères écrits ou gravés pour conserver, transmettre un message. *Murs, stèles, autels couverts d'inscriptions.*

koinè n. f. *Didactique* Langue commune de la Grèce aux époques hellénistique et romaine. – Par extension Langue commune, vulgaire d'un groupe humain.

lexique n. m. *Linguistique* L'ensemble indéterminé des éléments signifiants stables (mots, locutions...) d'une langue, formant un des composants du code de cette langue.

linguistique n. f. Science qui a pour objet l'étude du langage, envisagé comme un système de signes.

macaronique adj. *Littérature Poésie macaronique* : poésie burlesque où l'auteur entremêlait des mots latins et des mots de sa propre langue affublés de terminaisons latines. *Latin macaronique* : latin de cuisine.

morphème n. m. *Linguistique* Élément grammatical d'un mot. – La plus petite unité significative. *Morphème libre. Morphème lié. Mot formé de plusieurs morphèmes.*

nasal, ale, aux adj. *Phonétique* Dont la prononciation comporte une résonance de la cavité nasale mise en communication avec l'arrière-bouche. *Consonnes nasales* (m [m], n [n], gn [ɲ]) ; *voyelles nasales* (an, en [ɑ̃], in [ɛ̃], on [ ], un [œ̃]).

oghamique adj. Se dit de l'écriture des inscriptions celtiques d'Irlande et du pays de Galles des Vᵉ–VIIᵉ siècles.

onomastique n. f. *Linguistique* Étude, science des noms propres, et spécialement des noms de personnes (=> anthroponymie) et de lieux (=> toponymie).

palataliser v. tr. Transformer par palatalisation, c'est-à-dire modifier par un phonème dont l'articulation est reportée dans la région antérieure du palais.

patois n. m. Parler local, dialecte employé par une population généralement peu nombreuse, souvent rurale, et dont la culture, le niveau de civilisation sont jugés comme inférieurs à ceux du milieu environnant (qui emploie la langue commune). *Le patois d'une région, d'un village.*

phonème n. m. *Linguistique* La plus petite unité de langage parlé, dont la fonction est de constituer les signifiants et de les distinguer entre eux. *Le français comprend 36 phonèmes (16 voyelles et 20 consonnes).*

phonétique adj. et n. f. *Linguistique* Qui a rapport aux sons du langage. – n. f. Branche de la linguistique qui étudie les sons des langues naturelles.

pidgin n. m. *Linguistique* Langue seconde composite née du contact commercial entre l'anglais et les langues d'Extrême-Orient, qui ne remplit pas toutes les fonctions d'une langue ordinaire. *Sabir, pidgin, créole.*

proto- Élément, du gr. *prôtos*, « premier, primitif, rudimentaire ». Ex. *protolangue*

régionalisme n. m. Tendance à conserver ou à favoriser certains traits particuliers d'une région, d'une province. – *Un, des régionalismes.* Fait de langue propre à une région.

rune n. f. *Didactique* Caractère de l'ancien alphabet des langues germaniques orientales (gotique) et septentrionales (nordique ou norrois). *Les runes nous sont connues par des inscriptions gravées sur pierre ou sur bois.*

sabir n. m. *Linguistique* Système linguistique mixte limité à quelques règles et à un vocabulaire déterminé d'échanges commerciaux (opposé à *pidgin* et à *créole*, dont l'organisation est plus complète), issu des contacts entre des communautés de langues très différentes et servant de langue d'appoint. – *Par extension* Langage hybride, fait d'emprunts, difficilement compréhensible.

signifiant n. m. *Linguistique* Manifestation matérielle du signe ; suite de phonèmes ou de lettres, de caractères, qui constitue le support d'un sens.

substrat n. m. *Linguistique* Parler supplanté par un autre parler nettement distinct, sur un territoire donné, dans des conditions telles que son influence est perceptible dans le second parler.

superstrat n. m. *Linguistique* Ensemble de faits propres à une langue qui, s'étant introduite sur une nouvelle aire linguistique, peut disparaître en laissant des traces dans l'autre langue.

syntagme n. m. *Linguistique* Groupe de morphèmes ou de mots qui se suivent avec un sens (ex. : relire, crayons rouges, sans s'arrêter).

toponyme n. m. *Linguistique* Nom de lieu.

toponymie n. f. *Linguistique* Ensemble des noms de lieux (d'une région, d'une langue). *Toponymie de la France* (couche préindo-européenne, couche italo-celtique, gauloise, romaine). – Partie de la linguistique qui étudie les noms de lieux.

véhiculaire adj. *Didactique* *Langue véhiculaire*, servant aux communications entre des groupes de langue maternelle différente.

vernaculaire adj. *Didactique* Du pays, propre au pays. *Langue vernaculaire* (opposé à *véhiculaire*) : langue parlée seulement à l'intérieur d'une communauté, souvent restreinte.

vocalique adj. *Linguistique* Qui a rapport aux voyelles. *Altération, dissimilation vocalique. Harmonisation vocalique. Système vocalique d'une langue*, ensemble de ses voyelles.